CW00747741

Joseph Karl Benedikt Freiherr von Eichendorff, geboren am 10. März 1788 auf Schloß Lubowitz bei Ratibor in Schlesien, ist am 26. 11. 1857 in Neiße gestorben.
»Was in jenen ersten Liedern klang, das geht weiter durch seine ganze Dichtung: eine halb ritterliche, halb idyllische, genügsame, aber reine und innige Welt, in der die Melodie den Gedanken überwiegt und deren Ethos die Pietät ist. Nie hat Eichendorff eine Mode mitgemacht, nie hat er sich zu ihm nicht gemäßen Leistungen empor zu schrauben versucht, nie hat er sich interessant gemacht. Zwischen dem wilden Geniewesen mancher seiner romantischen Kameraden steht er freundlich, still und lächelnd wie ein Gast vom Lande, etwas verwirrt von dem Getriebe, aber seines eigenen Wesens und Wertes sicher und seiner angeborenen Liebe treu, der Liebe zum Frieden, zur Natur und zu einem Leben, wie er es in den Heimatjahren auf Schloß Lubowitz kennengelernt hatte. Dabei ist er immer geblieben, und da er in der traumhaften Sicherheit seines Kinderherzens gleich in seinen frühen Dichtungen seinen Ton vollkommen rein getroffen hatte, kann man von einer literarischen Entwicklung bei ihm kaum reden ... Daß die Lieder Eichendorffs zum unverlierbaren Gut deutscher Dichtung gehören, daran wurde auch früher schon selten gezweifelt.« *Hermann Hesse in der Einleitung zu einer Eichendorff-Ausgabe*
Der Maler Otto Ubbelohde wurde am 5. 1. 1867 in Marburg an der Lahn geboren. Er starb am 8. 5. 1922 in Goßfelden. Die Bilder zu Eichendorff-Gedichten entstanden im Jahre 1921 für den Verleger Hermann Adolf Wiechmann.

insel taschenbuch 255
Eichendorff
Gedichte

JOSEPH FREIHERR VON

EICHENDORFF GEDICHTE

MIT ZEICHNUNGEN VON
OTTO UBBELOHDE

HERAUSGEGEBEN VON
TRAUDE DIENEL

INSEL VERLAG

Der Abdruck der Zeichnungen O. Ubbelohdes
erfolgte mit freundlicher Genehmigung des
Hermann A. Wiechmann Verlages, © 1921

insel taschenbuch 255
Erstausgabe
Erste Auflage 1977

Vertrieb durch den Suhrkamp Taschenbuch Verlag
Umschlag nach Entwürfen von Willy Fleckhaus
Typographie: Max Bartholl
Satz: Weihrauch, Würzburg
Druck: Nomos Verlagsgesellschaft, Baden-Baden
Printed in Germany

10 11 12 13 14 15 - 02 01 00 99 98 97

WÜNSCHELRUTE

Schläft ein Lied in allen Dingen,
Die da träumen fort und fort,
Und die Welt hebt an zu singen,
Triffst du nur das Zauberwort.

FRISCHE FAHRT

Laue Luft kommt blau geflossen,
Frühling, Frühling soll es sein!
Waldwärts Hörnerklang geschossen,
Mutger Augen lichter Schein;
Und das Wirren bunt und bunter
Wird ein magisch wilder Fluß,
In die schöne Welt hinunter
Lockt dich dieses Stromes Gruß.

Und ich mag mich nicht bewahren!
Weit von euch treibt mich der Wind,
Auf dem Strome will ich fahren,
Von dem Glanze selig blind!
Tausend Stimmen lockend schlagen,
Hoch Aurora flammend weht,
Fahre zu! Ich mag nicht fragen,
Wo die Fahrt zu Ende geht!

ALLGEMEINES WANDERN

Vom Grund bis zu den Gipfeln,
Soweit man sehen kann,
Jetzt blühts in allen Wipfeln,
Nun geht das Wandern an:

Die Quellen von den Klüften,
Die Ström auf grünem Plan,
Die Lerchen hoch in Lüften,
Der Dichter frisch voran.

Und die im Tal verderben
In trüber Sorgen Haft,
Er möcht sie alle werben
Zu dieser Wanderschaft.

Und von den Bergen nieder
Erschallt sein Lied ins Tal,
Und die zerstreuten Brüder
Faßt Heimweh allzumal.

Da wird die Welt so munter
Und nimmt die Reiseschuh,
Sein Liebchen mitten drunter
Die nickt ihm heimlich zu.

Und über Felsenwände
Und auf dem grünen Plan
Das wirrt und jauchzt ohn Ende –
Nun geht das Wandern an!

DER FROHE WANDERSMANN

Wem Gott will rechte Gunst erweisen,
Den schickt er in die weite Welt;
Dem will er seine Wunder weisen
In Berg und Wald und Strom und Feld.

Die Trägen, die zu Hause liegen,
Erquicket nicht das Morgenrot,
Sie wissen nur von Kinderwiegen,
Von Sorgen, Last und Not um Brot.

Die Bächlein von den Bergen springen,
Die Lerchen schwirren hoch vor Lust,
Was sollt ich nicht mit ihnen singen
Aus voller Kehl und frischer Brust?

Den lieben Gott lass ich nur walten;
Der Bächlein, Lerchen, Wald und Feld
Und Erd und Himmel will erhalten,
Hat auch mein Sach aufs best bestellt!

SEHNSUCHT

Es schienen so golden die Sterne,
Am Fenster ich einsam stand
Und hörte aus weiter Ferne
Ein Posthorn im stillen Land.
Das Herz mir im Leib entbrennte,
Da hab ich mir heimlich gedacht:
Ach, wer da mitreisen könnte
In der prächtigen Sommernacht!

Zwei junge Gesellen gingen
Vorüber am Bergeshang,
Ich hörte im Wandern sie singen
Die stille Gegend entlang:
Von schwindelnden Felsenschlüften,
Wo die Wälder rauschen so sacht,
Von Quellen, die von den Klüften
Sich stürzen in die Waldesnacht.

Sie sangen von Marmorbildern,
Von Gärten, die überm Gestein
In dämmernden Lauben verwildern,
Palästen im Mondenschein,
Wo die Mädchen am Fenster lauschen,
Wann der Lauten Klang erwacht
Und die Brunnen verschlafen rauschen
In der prächtigen Sommernacht. –

ABSCHIED

O Täler weit, o Höhen,
O schöner, grüner Wald,
Du meiner Lust und Wehen
Andächtger Aufenthalt!
Da draußen, stets betrogen,
Saust die geschäftge Welt,
Schlag noch einmal die Bogen
Um mich, du grünes Zelt!

Wenn es beginnt zu tagen,
Die Erde dampft und blinkt,
Die Vögel lustig schlagen,
Daß dir dein Herz erklingt:
Da mag vergehn, verwehen
Das trübe Erdenleid,
Da sollst du auferstehen
In junger Herrlichkeit!

Da steht im Wald geschrieben
Ein stilles, ernstes Wort
Von rechtem Tun und Lieben,
Und was des Menschen Hort.
Ich habe treu gelesen
Die Worte, schlicht und wahr,
Und durch mein ganzes Wesen
Wards unaussprechlich klar.

Bald werd ich dich verlassen,
Fremd in der Fremde gehn,
Auf buntbewegten Gassen
Des Lebens Schauspiel sehn;
Und mitten in dem Leben
Wird deines Ernsts Gewalt
Mich Einsamen erheben,
So wird mein Herz nicht alt.

SCHÖNE FREMDE

Es rauschen die Wipfel und schauern,
Als machten zu dieser Stund
Um die halbversunkenen Mauern
Die alten Götter die Rund.

Hier hinter den Myrtenbäumen
In heimlich dämmernder Pracht,
Was sprichtst du wirr wie in Träumen
Zu mir, phantastische Nacht?

Es funkeln auf mich alle Sterne
Mit glühendem Liebesblick,
Es redet trunken die Ferne
Wie von künftigem, großen Glück!

TÄUSCHUNG

Ich ruhte aus vom Wandern,
Der Mond ging eben auf,
Da sah ich fern im Lande
Der alten Tiber Lauf,
Im Walde lagen Trümmer,
Paläste auf stillen Höhn
Und Gärten im Mondesschimmer –
O Welschland, wie bist du schön!

Und als die Nacht vergangen,
Die Erde blitzte so weit,
Einen Hirten sah ich hangen
Am Fels in der Einsamkeit.
Den fragt ich ganz geblendet:
Komm ich nach Rom noch heut?
Er dehnt' sich halbgewendet:
Ihr seid nicht recht gescheut!
Eine Winzerin lacht' herüber,
Man sah sie vor Weinlaub kaum,
Mir aber gings Herze über –
Es war ja alles nur Traum.

AUF EINER BURG

Eingeschlafen auf der Lauer
Oben ist der alte Ritter;
Drüber gehen Regenschauer,
Und der Wald rauscht durch das Gitter.

Eingewachsen Bart und Haare,
Und versteinert Brust und Krause,
Sitzt er viele hundert Jahre
Oben in der stillen Klause.

Draußen ist es still und friedlich,
Alle sind ins Tal gezogen,
Waldesvögel einsam singen
In den leeren Fensterbogen.

Eine Hochzeit fährt da unten
Auf dem Rhein im Sonnenscheine,
Musikanten spielen munter,
Und die schöne Braut die weinet.

IM WALDE

Es zog eine Hochzeit den Berg entlang,
Ich hörte die Vögel schlagen,
Da blitzten viel Reiter, das Waldhorn klang,
Das war ein lustiges Jagen!

Und eh ichs gedacht, war alles verhallt,
Die Nacht bedecket die Runde,
Nur von den Bergen noch rauschet der Wald
Und mich schauert im Herzensgrunde.

ZWIELICHT

Dämmrung will die Flügel spreiten,
Schaurig rühren sich die Bäume,
Wolken ziehn wie schwere Träume –
Was will dieses Graun bedeuten?

Hast ein Reh du lieb vor andern,
Laß es nicht alleine grasen,
Jäger ziehn im Wald und blasen,
Stimmen hin und wider wandern.

Hast du einen Freund hienieden,
Trau ihm nicht zu dieser Stunde,
Freundlich wohl mit Aug und Munde,
Sinnt er Krieg im tückschen Frieden.

Was heut müde gehet unter,
Hebt sich morgen neugeboren.
Manches bleibt in Nacht verloren –
Hüte dich, bleib wach und munter!

NACHTS

Ich wandre durch die stille Nacht,
Da schleicht der Mond so heimlich sacht
Oft aus der dunklen Wolkenhülle,
Und hin und her im Tal
Erwacht die Nachtigall,
Dann wieder alles grau und stille.

O wunderbarer Nachtgesang:
Von fern im Land der Ströme Gang,
Leis Schauern in den dunklen Bäumen –
Wirrst die Gedanken mir,
Mein irres Singen hier
Ist wie ein Rufen nur aus Träumen.

DER VERLIEBTE REISENDE

Da fahr ich still im Wagen,
Du bist so weit von mir,
Wohin er mich mag tragen,
Ich bleibe doch bei dir.

Da fliegen Wälder, Klüfte
Und schöne Täler tief,
Und Lerchen hoch in den Lüften,
Als ob dein Stimme rief.

Die Sonne lustig scheinet
Weit über das Revier,
Ich bin so froh verweinet
Und singe still in mir.

Vom Berge gehts hinunter,
Das Posthorn schallt im Grund,
Mein Seel wird mir so munter,
Grüß dich aus Herzensgrund.

2

Ich geh durch die dunklen Gassen
Und wandre von Haus zu Haus,
Ich kann mich noch immer nicht fassen,
Sieht alles so trübe aus.

Da gehen viel Männer und Frauen,
Die alle so lustig sehn,
Die fahren und lachen und bauen,
Daß mir die Sinne vergehn.

Oft wenn ich bläuliche Streifen
Seh über die Dächer fliehn,
Sonnenschein draußen schweifen,
Wolken am Himmel ziehn:

Da treten mitten im Scherze
Die Tränen ins Auge mir,
Denn die mich lieben von Herzen
Sind alle so weit von hier.

3

Lied, mit Tränen halb geschrieben,
Dorthin über Berg und Kluft,
Wo die Liebste mein geblieben,
Schwing dich durch die blaue Luft!

Ist sie rot und lustig, sage:
Ich sei krank von Herzensgrund;
Weint sie nachts, sinnt still bei Tage,
Ja, dann sag: ich sei gesund!

Ist vorbei ihr treues Lieben,
Nun, so end auch Lust und Not,
Und zu allen, die mich lieben,
Flieg und sage: ich sei tot!

4

Ach, Liebchen, dich ließ ich zurücke,
Mein liebes, herziges Kind,
Da lauern viel Menschen voll Tücke,
Die sind dir so feindlich gesinnt.

Die möchten so gerne zerstören
Auf Erden das schöne Fest,
Ach, könnte das Lieben aufhören,
So mögen sie nehmen den Rest.

Und alle die grünen Orte,
Wo wir gegangen im Wald,
Die sind nun wohl anders geworden,
Da ists nun so still und kalt.

Da sind nun am kalten Himmel
Viel tausend Sterne gestellt,
Es scheint ihr goldnes Gewimmel
Weit übers beschneite Feld.

Mein' Seele ist so beklommen,
Die Gassen sind leer und tot,
Da hab ich die Laute genommen
Und singe in meiner Not.

Ach, wär ich im stillen Hafen!
Kalte Winde am Fenster gehn,
Schlaf ruhig, mein Liebchen, schlafe,
Treu' Liebe wird ewig bestehn!

5

Grün war die Weide,
Der Himmel blau,
Wir saßen beide
Auf glänzender Au.

Sinds Nachtigallen
Wieder, was ruft,
Lerchen, die schallen
Aus warmer Luft?

Ich hör die Lieder,
Fern, ohne dich,
Lenz ists wohl wieder,
Doch nicht für mich.

6

Wolken, wälderwärts gegangen,
Wolken, fliegend übers Haus,
Könnt ich an euch fest mich hangen,
Mit euch fliegen weit hinaus!

Tag'lang durch die Wälder schweif ich,
Voll Gedanken sitz ich still,
In die Saiten flüchtig greif ich,
Wieder dann auf einmal still.

Schöne, rührende Geschichten
Fallen ein mir, wo ich steh,
Lustig muß ich schreiben, dichten,
Ist mir selber gleich so weh.

Manches Lied, das ich geschrieben
Wohl vor manchem langen Jahr,
Da die Welt vom treuen Lieben
Schön mir überglänzet war;

Find ichs wieder jetzt voll Bangen:
Werd ich wunderbar gerührt,
Denn so lang ist das vergangen,
Was mich zu dem Lied verführt.

Diese Wolken ziehen weiter,
Alle Vögel sind erweckt,
Und die Gegend glänzet heiter,
Weit und fröhlich aufgedeckt.

Regen flüchtig abwärts gehen,
Scheint die Sonne zwischendrein,
Und dein Haus, dein Garten stehen
Überm Wald im stillen Schein.

Doch du harrst nicht mehr mit Schmerzen,
Wo so lang dein Liebster sei –
Und mich tötet noch im Herzen
Dieser Schmerzen Zauberei.

RÜCKKEHR

Mit meinem Saitenspiele,
Das schön geklungen hat,
Komm ich durch Länder viele
Zurück in diese Stadt.

Ich ziehe durch die Gassen,
So finster ist die Nacht,
Und alles so verlassen,
Hatts anders mir gedacht.

Am Brunnen steh ich lange,
Der rauscht fort, wie vorher,
Kommt mancher wohl gegangen,
Es kennt mich keiner mehr.

Da hört ich geigen, pfeifen,
Die Fenster glänzten weit,
Dazwischen drehn und schleifen
Viel fremde, fröhliche Leut.

Und Herz und Sinne mir brannten,
Mich triebs in die weite Welt,
Es spielten die Musikanten,
Da fiel ich hin im Feld.

JAHRMARKT

Sinds die Häuser, sinds die Gassen?
Ach, ich weiß nicht wo ich bin!
Hab ein Liebchen hier gelassen,
Und manch Jahr ging seitdem hin.

Aus den Fenstern schöne Frauen
Sehn mir freundlich ins Gesicht,
Keine kann so frischlich schauen,
Als mein Liebchen sicht.

An dem Hause poch ich bange –
Doch die Fenster stehen leer,
Ausgezogen ist sie lange,
Und es kennt mich keiner mehr.

Und ringsum ein Rufen, Handeln,
Schmucke Waren, bunter Schein,
Herrn und Damen gehn und wandeln
Zwischendurch in bunten Reihn.

Zierlich Bücken, freundlich Blicken,
Manches flüchtge Liebeswort,
Händedrücken, heimlich Nicken –
Nimmt sie all der Strom mit fort.

Und mein Liebchen sah ich eben
Traurig in dem lustgen Schwarm,
Und ein schöner Herr daneben
Führt' sie stolz und ernst am Arm.

Doch verblaßt war Mund und Wange,
Und gebrochen war ihr Blick,
Seltsam schaut' sie stumm und lange,
Lange noch auf mich zurück. –

Und es endet Tag und Scherzen,
Durch die Gassen pfiff der Wind –
Keiner weiß, wie unsre Herzen
Tief von Schmerz zerissen sind.

WANDERLIED DER PRAGER STUDENTEN

Nach Süden nun sich lenken
Die Vöglein allzumal,
Viel Wandrer lustig schwenken
Die Hüt im Morgenstrahl.
Das sind die Herrn Studenten,
Zum Tor hinaus es geht,
Auf ihren Instrumenten
Sie blasen zum Valet:
Ade in die Läng und Breite
O Prag, wir ziehn in die Weite:

Et habeat bonam pacem,
Qui sedet post fornacem!

Nachts wir durchs Städtlein schweifen,
Die Fenster schimmern weit,
Am Fenster drehn und schleifen
Viel schön geputzte Leut.
Wir blasen vor den Türen
Und haben Durst genung,
Das kommt vom Musizieren,
Herr Wirt, einen frischen Trunk!
Und siehe über ein kleines
Mit einer Kanne Weines
Venit ex sua domo –
Beatus ille homo!

Nun weht schon durch die Wälder
Der kalte Boreas,
Wir streichen durch die Felder,
Von Schnee und Regen naß,
Der Mantel fliegt im Winde,
Zerrissen sind die Schuh,
Da blasen wir geschwinde
Und singen noch dazu:
Beatus ille homo
Qui sedet in sua domo
Et sedet post fornacem
Et habet bonam pacem!

DIE SPIELLEUTE

Frühmorgens durch die Klüfte
Wir blasen Victoria!
Eine Lerche fährt durch die Lüfte:
»Die Spielleut sind schon da!«
Da dehnt ein Turm und reckt sich
Verschlafen im Morgengrau,
Wie aus dem Traume streckt sich
Der Strom durch die stille Au,
Und ihr Äuglein balde
Tun auf die Bächlein all
Im Wald, im grünen Walde,
Das ist ein lustger Schall!

Das ist ein lustges Reisen,
Der Eichbaum kühl und frisch
Mit Schatten, wo wir speisen,
Deckt uns den grünen Tisch.
Zum Frühstück musizieren
Die muntern Vögelein,
Der Wald, wenn sie pausieren,
Stimmt wunderbar mit ein,
Die Wipfel tut er neigen,
Als gesegnet' er uns das Mahl,
Und zeigt uns zwischen den Zweigen
Tief unten das weite Tal.

Tief unten da ist ein Garten,
Da wohnt eine schöne Frau,
Wir können nicht lange warten,
Durchs Gittertor wir schaun,
Wo die weißen Statuen stehen,
Da ists so still und kühl,
Die Wasserkünste gehen,
Der Flieder duftet schwül.
Wir ziehn vorbei und singen
In der stillen Morgenzeit,
Sie hörts im Traume klingen,
Wir aber sind schon weit.

DRYANDER MIT DER KOMÖDIANTENBANDE

Mich brennts an meinen Reiseschuhn,
Fort mit der Zeit zu schreiten –
Was wollen wir agieren nun
Vor so viel klugen Leuten?

Es hebt das Dach sich von dem Haus
Und die Kulissen rühren
Und strecken sich zum Himmel 'raus,
Strom, Wälder musizieren!

Und aus den Wolken langt es sacht,
Stellt alles durcheinander,
Wie sichs kein Autor hat gedacht:
Volk, Fürsten und Dryander.

Da gehn die einen müde fort,
Die andern nahn behende,
Das alte Stück, man spielts so fort
Und kriegt es nie zu Ende.

Und keiner kennt den letzen Akt
Von allen, die da spielen,
Nur der da droben schlägt den Takt,
Weiß, wo das hin will zielen.

DER IRRE SPIELMANN

Aus stiller Kindheit unschuldiger Hut
Trieb mich der tolle, frevelnde Mut.
Seit ich da draußen so frei nun bin,
Find ich nicht wieder nach Hause mich hin.

Durchs Leben jag ich manch trügrisch Bild,
Wer ist der Jäger da? Wer ist das Wild?
Es pfeift der Wind mir schneidend durchs Haar,
Ach Welt, wie bist du so kalt und klar!

Du frommes Kindlein im stillen Haus,
Schau nicht so lüstern zum Fenster hinaus!
Frag mich nicht, Kindlein, woher und wohin?
Weiß ich doch selber nicht, wo ich bin!

Von Sünde und Reue zerrissen die Brust,
Wie rasend in verzweifelter Lust,
Brech ich im Fluge mir Blumen zum Strauß,
Wird doch kein fröhlicher Kranz daraus! –

Ich möcht in den tiefsten Wald wohl hinein,
Recht aus der Brust den Jammer zu schrein,
Ich möchte reiten ans Ende der Welt,
Wo der Mond und die Sonne hinunterfällt.

Wo schwindelnd beginnt die Ewigkeit,
Wie ein Meer, so erschrecklich still und weit,
Da sinken all Ström und Segel hinein,
Da wird es wohl endlich auch ruhig sein.

DER MORGEN

Fliegt der erste Morgenstrahl
Durch das stille Nebeltal,
Rauscht erwachend Wald und Hügel:
Wer da fliegen kann, nimmt Flügel!

Und sein Hütlein in die Luft
Wirft der Mensch vor Lust und ruft:
Hat Gesang doch auch noch Schwingen,
Nun, so will ich fröhlich singen!

Hinaus, o Mensch, weit in die Welt,
Bangt dir das Herz in krankem Mut;
Nichts ist so trüb in Nacht gestellt,
Der Morgen leicht machts wieder gut.

MITTAGSRUH

Über Bergen, Fluß und Talen,
Stiller Lust und tiefen Qualen
Webet heimlich, schillert, Strahlen!
Sinnend ruht des Tags Gewühle
In der dunkelblauen Schwüle,
Und die ewigen Gefühle,
Was dir selber unbewußt,
Treten heimlich, groß und leise
Aus der Wirrung fester Gleise,
Aus der unbewachten Brust,
In die stillen, weiten Kreise.

DER ABEND

Schweigt der Menschen laute Lust:
Rauscht die Erde wie in Träumen
Wunderbar mit allen Bäumen,
Was dem Herzen kaum bewußt,
Alte Zeiten, linde Trauer,
Und es schweifen leise Schauer
Wetterleuchtend durch die Brust.

DIE NACHT

Wie schön, hier zu verträumen
Die Nacht im stillen Wald,
Wenn in den dunklen Bäumen
Das alte Märchen hallt.

Die Berg im Mondesschimmer
Wie in Gedanken stehn,
Und durch verworrne Trümmer
Die Quellen klagend gehn.

Denn müd ging auf den Matten
Die Schönheit nun zur Ruh,
Es deckt mit kühlen Schatten
Die Nacht das Liebchen zu.

Das ist das irre Klagen
In stiller Waldespracht,
Die Nachtigallen schlagen
Von ihr die ganze Nacht.

Die Stern gehn auf und nieder –
Wann kommst du, Morgenwind,
Und hebst die Schatten wieder
Von dem verträumten Kind?

Schon rührt sichs in den Bäumen,
die Lerche weckt sie bald –
So will ich treu verträumen
Die Nacht im stillen Wald.

WEGWEISER

»Jetzt mußt du rechts dich schlagen,
Schleich dort und lausche hier,
Dann schnell drauf los im Jagen –
So wird noch was aus dir.«

Dank'! doch durchs Weltgewimmel,
Sagt mir, ihr weisen Herrn,
Wo geht der Weg zum Himmel?
Das Eine wüßt ich gern.

SCHNEEGLÖCKCHEN

's war doch wie ein leises Singen
In dem Garten heute nacht,
Wie wenn laue Lüfte gingen:
»Süße Glöcklein, nun erwacht,
Denn die warme Zeit wir bringen,
Eh's noch jemand hat gedacht.« –
's war kein Singen, 's war ein Küssen,
Rührt' die stillen Glöcklein sacht,
Daß sie alle tönen müssen
Von der künftgen bunten Pracht.
Ach, sie konntens nicht erwarten,
Aber weiß vom letzten Schnee
War noch immer Feld und Garten,
Und sie sanken um vor Weh.
So schon manche Dichter streckten
Sangesmüde sich hinab,
Und der Frühling, den sie weckten,
Rauschet über ihrem Grab.

FRÜHLINGSGRUSS

Es steht ein Berg in Feuer,
In feurigem Morgenbrand,
Und auf des Berges Spitze
Ein Tannbaum überm Land.

Und auf dem höchsten Wipfel
Steh ich und schau vom Baum,
O Welt, du schöne Welt, du,
Man sieht dich vor Blüten kaum!

DORT IN MOOSUMRANKTEN KLÜFTEN

Dort in moosumrankten Klüften,
Wo der Kühlung Weste wehn,
Und den Kranz um Schläf und Hüften
Elfen sich im Tanz ergehn.

Dort harr ich des lieben Mädchens,
Wenn durchs Grau der Morgen bricht
Und das grüne Rosenpfädchen
Sanft bestreut mit mattem Licht.

Dort harr ich, wenn sich die Sonne
In des Sees Fluten taucht,
Und der Abend neue Wonne
In des Müden Seele haucht.

Denn nur wenig Jahr durchglühet
Uns der Jugend Götterhauch
Und, ach – nur zu früh verblühet
Uns des Lebens Blütenstrauch.

DER LENZ MIT KLANG UND ROTEN BLUMENMUNDEN...

Der Lenz mit Klang und roten Blumenmunden,
Holdselge Pracht! wird bleich in Wald und Aue;
Tonlos schweift ich damals durchs heitre Blaue,
Hatt nicht das Glühn im Tiefsten noch empfunden.

Da sprach Waldhorn von überselgen Stunden,
Und wie ich mutig in die Klänge schaue,
Reit't aus dem Wald die wunderschöne Fraue
O! Niederknien, erst's Aufblühn ewiger Wunden!

Zu weilen, fortzuziehn, schien sie zu zagen,
Verträumt blühten ins Grün der Augen Scheine,
Der Wald schien schnell zu wachsen mit Gefunkel.

Aus meiner Brust quoll ein unendlich Fragen,
Da blitzten noch einmal die Edelsteine,
Und um den Zauber schlug das grüne Dunkel.

FRÜHLINGSNETZ

Im hohen Gras der Knabe schlief,
Da hört' ers unten singen,
Es war, als ob die Liebste rief,
Das Herz wollt ihm zerspringen.

Und über ihm ein Netze wirrt
Der Blumen leises Schwanken,
Durch das die Seele schmachtend irrt
In lieblichen Gedanken.

So süße Zauberei ist los,
Und wunderbare Lieder
Gehn durch der Erde Frühlingsschoß,
Die lassen ihn nicht wieder.

WAHL

Der Tanz, der ist zerstoben,
Die Musik ist verhallt,
Nun kreisen Sterne droben,
Zum Reigen singt der Wald.

Sind alle fortgezogen,
Wie ists nun leer und tot!
Du rufst vom Fensterbogen:
»Wann kommt das Morgenrot!«

Mein Herz möcht mir zerspringen,
Darum so wein ich nicht.
Darum so muß ich singen,
Bis daß der Tag anbricht.

Eh es beginnt zu tagen:
Der Strom geht still und breit,
Die Nachtigallen schlagen,
Mein Herz wird mir so weit!

Du trägst so rote Rosen,
Du schaust so freudenreich,
Du kannst so fröhlich kosen,
Was stehst du still und bleich?

Und laß sie gehn und treiben
Und wieder nüchtern sein,
Ich will wohl bei dir bleiben!
Ich will dein Liebster sein!

VERSCHWIEGENE LIEBE

Über Wipfel und Saaten
in den Glanz hinein –
Wer mag sie erraten,
Wer holte sie ein?
Gedanken sich wiegen,
Die Nacht ist verschwiegen,
Gedanken sind frei.

Errät' es nur eine,
Wer an sie gedacht,
Beim Rauschen der Haine,
Wenn niemand mehr wacht,
Als die Wolken, die fliegen –
Mein Lieb ist verschwiegen
Und schön wie die Nacht.

DIE NACHTBLUME

Nacht ist wie ein stilles Meer,
Lust und Leid und Liebesklagen
Kommen so verworren her
In dem linden Wellenschlagen.

Wünsche wie die Wolken sind,
Schiffen durch die stillen Räume,
Wer erkennt im lauen Wind,
Obs Gedanken oder Träume? –

Schließ ich nun auch Herz und Mund,
Die so gern den Sternen klagen:
Leise doch im Herzensgrund
Bleibt das linde Wellenschlagen.

FRÜHLINGSNACHT

Übern Garten durch die Lüfte
Hört ich Wandervögel ziehn,
Das bedeutet Frühlingsdüfte,
Unten fängts schon an zu blühn.

Jauchzen möcht ich, möchte weinen,
Ist mirs doch, als könnts nicht sein!
Alte Wunder wieder scheinen
Mit dem Mondesglanz herein.

Und der Mond, die Sterne sagens,
Und in Träumen rauschts der Hain,
Und die Nachtigallen schlagens:
Sie ist Deine, sie ist dein!

DER GLÜCKLICHE

Ich hab ein Liebchen lieb recht von Herzen,
Hellfrische Augen hats wie zwei Kerzen,
Und wo sie spielend streifen das Feld,
Ach, wie so lustig glänzet die Welt!

Wie in der Waldnacht zwischen den Schlüften
Plötzlich die Täler sonnig sich klüften,
Funkeln die Ströme, rauscht himmelwärts
Blühende Wildnis – so ist mein Herz!

Wie vom Gebirge ins Meer zu schauen,
Wie wenn der Seefalk, hangend im Blauen,
Zuruft der dämmernden Erd, wo sie blieb? –
So unermeßlich ist rechte Lieb!

TRENNUNG

1

Denkst du noch jenes Abends, still vor Sehnen,
Wo wir zum letztenmal im Park beisammen?
Kühl standen rings des Abendrotes Flammen,
Ich scherzte wild – du lächeltest durch Tränen.
So spielt der Wahnsinn lieblich mit den Schmerzen
An jäher Schlüfte Rand, die nach ihm trachten;
Er mag der lauernden Gefahr nicht achten;
Er hat den Tod ja schon im öden Herzen.

Ob du die Mutter auch belogst, betrübtest,
Was andre Leute drüber deuten, sagen –
Sonst scheu – heut mochtst du nichts nach allem fragen,
Mir einzig zeigen, nur, wie du mich liebtest.
Und aus dem Hause heimlich so entwichen,
Gabst du ins Feld mir schweigend das Geleite,
Vor uns das Tal, das hoffnungsreiche, weite,
Und hinter uns kam grau die Nacht geschlichen.

Du gehst nun fort, sprachst du, ich bleib alleine;
Ach! dürft ich alles lassen, still und heiter
Mit dir so ziehn hinab und immer weiter –
Ich sah dich an – es spielten bleiche Scheine
So wunderbar um Locken dir und Glieder;
So ruhig, fremd warst du mir nie erschienen,

Es war, als sagten die versteinten Mienen,
Was du verschwiegst: Wir sehn uns niemals wieder!

2

Schon wird es draußen licht auf Berg und Talen;
Aurora, stille Braut, ihr schönen Strahlen,
Die farbgen Rauch aus Fluß und Wäldern saugen,
Euch grüßen neu die halbverschlafnen Augen.
Verrätrisch, sagt man, sei des Zimmers Schwüle,
Wo nachts ein Mädchen träumte vom Geliebten:
So komm herein, du rote, frische Kühle,
Fliegt in die blaue Luft, ihr schönen Träume!

Ein furchtsam Kind, im stillen Haus erzogen,
Konnt ich am Abendrot die Blicke weiden,
Tiefatmend in die laue Luft vor Freuden.
Er hat um diese Stille mich betrogen.

Mit stolzen Augen, fremden schönen Worten
Lockt er die Wünsche aus dem stillen Hafen,
Wo sie bei Sternenglanze selig schlafen,
Hinaus ins unbekannte Reich der Wogen;
Da kommen Winde buhlend angeflogen,
Die zarte Hand zwingt nicht die wilden Wellen,
Du mußt, wohin die vollen Segel schwellen.

Da zog er heimlich fort. – Seit jenem Morgen
Da hatt ich Not, hatt heimlich was zu sorgen.
Wenn nächtlich unten lag die stille Runde,
Einförmig Rauschen herkam von den Wäldern,
Pfeifend der Wind strich durch die öden Felder
Und hin und her in Dörfern bellten Hunde,
Ach! wenn kein glücklich Herz auf Erden wacht,
Begrüßten die verweinten Augen manche Nacht!

Wie oft, wenn wir im Garten ruhig waren,
Sagte mein Bruder mir vor vielen Jahren:
»Dem schönen Lenz gleicht recht die erste Liebe.
Wann draußen neu geschmückt die Frühlingsbühne,
Die Reiter blitzend unten ziehn durchs Grüne,
In blauer Luft die Lerchen lustig schwirren,
Läßt sie sich weit ins Land hinaus verführen,
Fragt nicht, wohin, und mag sich gern verirren,
Den Stimmen folgend, die sie wirrend führen.
Da wendet auf den Feldern sich der Wind,
Die Vögel hoch durch Nebel ziehn nach Haus;
Es wird so still, das schöne Fest ist aus.
Gar weit die Heimat liegt, das schöne Kind
Find't nicht nach Hause mehr, nicht weiter fort –
Hüt dich, such früh dir einen sichern Port!«

BEI EINER LINDE

Seh ich dich wieder, du geliebter Baum,
In dessen junge Triebe
Ich einst in jenes Frühlings schönstem Traum
Den Namen schnitt von meiner ersten Liebe?

Wie anders ist seitdem der Äste Bug,
Verwachsen und verschwunden
Im härtren Stamm der vielgeliebte Zug,
Wie ihre Liebe und die schönen Stunden!

Auch ich seitdem wuchs stille fort, wie du,
Und nichts an mir wollt weilen,
Doch meine Wunde wuchs – und wuchs nicht zu,
Und wird wohl niemals mehr hienieden heilen.

VOM BERGE

Da unten wohnte sonst mein Lieb,
Die ist jetzt schon begraben,
Der Baum noch vor der Türe blieb,
Wo wir gesessen haben.

Stets muß ich nach dem Hause sehn,
Und seh doch nichts vor Weinen,
Und wollt ich auch hinunter gehn,
Ich stürb dort so alleine!

1

Es qualmt' der eitle Markt in Staub und Schwüle,
So klanglos öde wallend auf und nieder,
Wie dacht ich da an meine Berge wieder,
An frischen Sang, Felsquell und Waldeskühle!

Doch steht ein Turm dort über dem Gewühle,
Der andre Zeiten sah und beßre Brüder,
Das Kreuz treu halten seine Riesenglieder,
Wie auch der Menschlein Flut den Fels umspüle

Das war mein Hafen in der weiten Wüste,
Oft kniet ich betend in des Domes Mitte,
Dort hab ich dich, mein liebes Kind, gefunden;

Ein Himmelbote wohl, der so mich grüßte:
»Verzweifle nicht! Die Schönheit und die Sitte
Sie sind noch von der Erde nicht verschwunden.«

2

Ein alt Gemach voll sinnger Seltsamkeiten,
Still' Blumen aufgestellt am Fensterbogen,
Gebirg und Länder draußen blau gezogen,
Wo Ströme gehn und Ritter ferne reiten.

Ein Mädchen, schlicht und fromm wie jene Zeiten,
Das, von den Abendscheinen angeflogen,
Versenkt in solcher Stille tiefe Wogen –
Das mocht auf Bildern oft das Herz mir weiten.

Und nun wollt wirklich sich das Bild bewegen,
Das Mädchen atmet' auf, reicht aus dem Schweigen
Die Hand mir, daß sie ewig meine bliebe.

Da sah ich draußen auch das Land sich regen,
Die Wälder rauschen und Aurora steigen –
Die alten Zeiten all weckt mir die Liebe.

3

Wenn zwei geschieden sind von Herz und Munde,
Da ziehn Gedanken über Berg' und Schlüfte
Wie Tauben säuselnd durch die blauen Lüfte,
Und tragen hin und wieder süße Kunde.

Ich schweif umsonst, so weit der Erde Runde,
Und stieg ich hoch auch über alle Klüfte,
Dein Haus ist höher noch als diese Lüfte,
Da reicht kein Laut hin, noch zurück zum Grunde.

Ja, seit du tot – mit seinen blühnden Borden
Wich ringsumher das Leben mir zurücke,
Ein weites Meer, wo keine Bahn zu finden.

Doch ist dein Bild zum Sterne mir geworden,
Der nach der Heimat weist mit stillem Blicke,
Daß fromm der Schiffer streite mit den Winden.

VERLORENE LIEBE

Lieder schweigen jetzt und Klagen,
Nun will ich erst fröhlich sein,
All mein Leid will ich zerschlagen
Und Erinnern – gebt mir Wein!
Wie er mir verlockend spiegelt
Sterne und der Erde Lust,
Stillgeschäftig dann entriegelt
All die Teufel in der Brust,
Erst der Knecht und dann der Meister,
Bricht er durch die Nacht herein,
Wildester der Lügengeister,
Ring mit mir, ich lache dein!
Und den Becher voll Entsetzen
Werf ich in des Stromes Grund,
Daß sich nimmer dran soll letzen
Wer noch fröhlich und gesund!

Lauten hör ich ferne klingen,
Lustge Bursche ziehn vom Schmaus,
Ständchen sie den Liebsten bringen,
Und das lockt mich mit hinaus.
Mädchen hinterm blühnden Baume
Winkt und macht das Fenster auf,
Und ich steige wie im Traume
Durch das kleine Haus hinauf.
Schüttle nur die dunklen Locken
Aus dem schönen Angesicht!
Sieh, ich stehe ganz erschrocken:
Das sind ihre Augen licht,

Locken hatte sie wie deine,
Bleiche Wangen, Lippen rot –
Ach, du bist ja doch nicht meine,
Und mein Lieb ist lange tot!
Hättest du nur nicht gesprochen
Und so frech geblickt nach mir,
Das hat ganz den Traum zerbrochen
Und nun grauet mir vor dir.
Da nimm Geld, kauf Putz und Flimmern,
Fort und lache nicht so wild!
O ich möchte dich zertrümmern,
Schönes, lügenhaftes Bild!

Spät von dem verlornen Kinde
Kam ich durch die Nacht daher,
Fahnen drehten sich im Winde,
Alle Gassen waren leer.
Oben lag noch meine Laute
Und mein Fenster stand noch auf,
Aus dem stillen Grunde graute
Wunderbar die Stadt herauf.
Draußen aber blitzts vom weiten,
Alter Zeiten ich gedacht',
Schaudernd reiß ich in den Saiten
Und ich sing die halbe Nacht.
Die verschlafnen Nachbarn sprechen,
Daß ich nächtlich trunken sei –
O du mein Gott! und mir brechen
Herz und Saitenspiel entzwei!

IM HERBST

Der Wald wird falb, die Blätter fallen,
Wie öd und still der Raum!
Die Bächlein nur gehn durch die Buchenhallen
Lind rauschend wie im Traum,
Und Abendglocken schallen
Fern von des Waldes Saum.

Was wollt ihr mich so wild verlocken
In dieser Einsamkeit?
Wie in der Heimat klingen diese Glocken
Aus stiller Kinderzeit –
Ich wende mich erschrocken,
Ach, was mich liebt, ist weit!

So brecht hervor nur, alte Lieder,
Und brecht das Herz mir ab!
Noch einmal grüß ich aus der Ferne wieder,
Was ich nur Liebes hab,
Mich aber zieht es nieder
Vor Wehmut wie ins Grab.

TRAURIGER WINTER

Nun ziehen Nebel, falbe Blätter fallen,
Öd alle Stellen, die uns oft entzücket!
Und noch einmal tief Rührung uns beglücket,
Wie aus der Flucht die Abschiedslieder schallen.

Wohl manchem blüht aus solchem Tod Gefallen:
Daß er, nun eng ans blühnde Herz gedrücket,
Von roten Lippen holdre Sträuße pflücket,
Als Lenz je beut mit Wäldern, Wiesen allen.

Mir sagte niemals ihrer Augen Bläue:
»Ruh auch aus! Willst du ewig sinnen?«
Und einsam sah ich so den Sommer fahren.

So will ich tief des Lenzes Blüte wahren,
Und mit Erinnern zaubrisch mich umspinnen,
Bis ich nach langem Traum erwach im Maie.

NEUE LIEBE

Herz, mein Herz, warum so fröhlich,
So voll Unruh und zerstreut,
Als käm über Berge selig
Schon die schöne Frühlingszeit?

Weil ein liebes Mädchen wieder
Herzlich an dein Herz sich drückt,
Schaust du fröhlich auf und nieder,
Erd und Himmel dich erquickt.

Und ich hab die Fenster offen,
Neu zieh in die Welt hinein
Altes Bangen, altes Hoffen!
Frühling, Frühling soll es sein!

AN LUISE

Ich wollt in Liedern oft dich preisen,
Die wunderstille Güte,
Wie du ein halbverwildertes Gemüte
Dir liebend hegst und heilst auf tausend süße Weisen,
Des Mannes Unruh und verworrnem Leben
Durch Tränen lächelnd bis zum Tod ergeben.

Doch wie den Blick ich dichtend wende,
So schön still in stillem Harme
Sitzt du vor mir, das Kindlein auf dem Arme,
Im blauen Auge Treu und Frieden ohne Ende,
Und alles lass ich, wenn ich dich so schaue –
Ach, wen Gott lieb hat, gab er solche Fraue!

DER JUNGE EHEMANN

Hier unter dieser Linde
Saß ich viel tausendmal
Und schaut nach meinem Kinde
Hinunter in das Tal,
Bis daß die Sterne standen
Hell über ihrem Haus,
Und weit in den stillen Landen
Alle Lichter löschten aus.

Jetzt neben meinem Liebchen
Sitz ich im Schatten kühl,
Sie wiegt ein muntres Bübchen,
Die Täler schimmern schwül,
Und unten im leisen Winde
Regt sich das Kornfeld kaum,
Und über uns säuselt die Linde –
Es ist mir noch wie ein Traum.

SCHLIMME WAHL

Du sahst die Fei ihr goldnes Haar sich strählen,
Wenn morgens früh noch alle Wälder schweigen,
Gar viele da im Felsgrund sich versteigen,
Und weiß doch keiner, wen sie wird erwählen.

Von einer andern Dam' hört ich erzählen
Im platten Land, die Bauern rings dir zeigen
Ihr Schloß, Park, Weiler – alles ist dein eigen,
Freist du das Weib – wer möcht im Wald sich quälen!

Sie werden dich auf einen Phaeton heben,
Das Hochzeitscarmen tönt, es blinkt die Flasche,
Weitrauschend hinterdrein viel vornehm Wesen.

Doch streift beim Zug dich aus dem Walde eben
Der Feie Blick, und brennt dich nicht zu Asche:
Fahr wohl, bist nimmer ein Poet gewesen!

DER UNVERBESSERLICHE

Ihr habt den Vogel gefangen,
Der war so frank und frei,
Nun ist ihms Fliegen vergangen,
Der Sommer ist lange vorbei.

Es liegen wohl Federn neben
Und unter und über mir,
Sie können mich alle nicht heben
Aus diesem Meer von Papier.

Papier! wie hör ich dich schreien,
Da alles die Federn schwenkt
In langen, emsigen Reihen –
So wird der Staat nun gelenkt.

Mein Fenster am Pulte steht offen,
Der Sonnenschein schweift übers Dach,
Da wird so uraltes Hoffen
Und Wünschen im Herzen wach.

Die lustigen Kameraden,
Lerchen, Quellen und Wald,
Sie rauschen schon wieder und laden:
Geselle, kommst du nicht bald?

Und wie ich durch die Gardinen
Hinaussah in keckem Mut,
Da hört ich Lachen im Grünen,
Ich kannte das Stimmlein recht gut.

Und wie ich hinaustrat zur Schwelle,
Da blühten die Bäume schon all
Ein Liebchen, so frühlingshelle,
Saß drunter beim Vogelschall.

Und eh wir uns beide besannen,
Da wiehert' das Flügelroß –
Wir flogen selbander von dannen,
Daß es unten die Schreiber verdroß.

DICHTERLOS

Für alle muß vor Freuden
Mein treues Herze glühn,
Für alle muß ich leiden,
Für alle muß ich blühn,
Und wenn die Blüten Früchte haben,
Da haben sie mich längst begraben.

ELDORADO

Es ist von Klang und Düften
Ein wunderbarer Ort,
Umrankt von stillen Klüften,
Wir alle spielten dort.

Wir alle sind verirret,
Seitdem so weit hinaus
Unkraut die Welt verwirret,
Findt keiner mehr nach Haus.

Doch manchmal tauchts aus Träumen,
Als läg es weit im Meer,
Und früh noch in den Bäumen
Rauschts wie ein Grüßen her.

Ich hört den Gruß verfliegen,
Ich folgt ihm über Land,
Und hatte mich verstiegen
Auf hoher Felsenwand.

Mein Herz ward mir so munter,
Weit hinten alle Not,
Als ginge jenseits unter
Die Welt in Morgenrot.

Der Wind spielt' in den Locken,
Da blitzt' es drunten weit,
Und ich erkannt erschrocken
Die alte Einsamkeit.

Nun jeden Morgenschimmer
Steig ich ins Blütenmeer,
Bis ich Glückselger nimmer
Von dorten wiederkehr.

SYMMETRIE

O Gegenwart, wie bist du schnelle,
Zukunft, wie bist du morgenhelle,
Vergangenheit so abendrot!
Das Abendrot soll ewig stehen,
Die Morgenhelle frisch drein wehen,
So ist die Gegenwart nicht tot.

Der Tor, der lahmt auf einem Bein,
Das ist gar nicht zu leiden,
Schlagt ihm das andre Bein entzwei,
So hinkt er doch auf beiden!

ENTSCHLUSS

Gebannt im stillen Kreise sanfter Hügel,
Schlingt sich ein Strom von ewig gleichen Tagen,
Da mag die Brust nicht nach der Ferne fragen,
Und lächelnd senkt die Sehnsucht ihre Flügel.

Viel andre stehen kühn im Rossesbügel,
Des Lebens höchste Güte zu erjagen,
Und was sie wünschen, müssen sie erst wagen,
Ein strenger Geist regiert des Rosses Zügel. –

Was singt ihr lockend so, ihr stillen Matten,
Du Heimat mit den Regenbogenbrücken,
Ihr heitern Bilder, harmlos bunte Spiele?

Mich faßt der Sturm, wild ringen Licht und Schatten,
Durch Wolkenriß bricht flammendes Entzücken –
Nur zu, mein Roß! Wir finden noch zum Ziele!

DER JÄGER ABSCHIED

Wer hat dich, du schöner Wald,
Aufgebaut so hoch da droben?
Wohl den Meister will ich loben,
So lang noch mein Stimm erschallt.
Lebe wohl,
Lebe wohl, du schöner Wald!

Tief die Welt verworren schallt,
Oben einsam Rehe grasen,
Und wir ziehen fort und blasen,
Daß es tausendfach verhallt:
Lebe wohl,
Lebe wohl, du schöner Wald!

Banner, der so kühle wallt!
Unter deinen grünen Wogen
Hast du treu uns auferzogen,
Frommer Sagen Aufenthalt!
Lebe wohl,
Lebe wohl, du schöner Wald!

Was wir still gelobt im Wald,
Wollens draußen ehrlich halten,
Ewig bleiben treu die Alten:
Deutsch Panier, das rauschend wallt,
Lebe wohl,
Schirm dich Gott, du schöner Wald!

AUF DER FELDWACHT

Mein Gewehr im Arme steh ich
Hier verloren auf der Wacht,
Still nach jener Gegend seh ich,
Hab so oft dahin gedacht!

Fernher Abendglocken klingen
Durch die schöne Einsamkeit;
So, wenn wir zusammen gingen,
Hört ichs oft in alter Zeit.

Wolken da wie Türme prangen,
Als säh ich im Duft mein Wien,
Und die Donau hell ergangen
Zwischen Burgen durch das Grün.

Doch wie fern sind Strom und Türme!
Wer da wohnt, denkt mein noch kaum,
Herbstlich rauschen schon die Stürme,
Und ich stehe wie im Traum.

WAFFENSTILLSTAND DER NACHT

Windsgleich kommt der wilde Krieg geritten,
Durch das Grün der Tod ihm nachgeschritten,
Manch Gespenst steht sinnend auf dem Feld,
Und der Sommer schüttelt sich vor Grausen,
Läßt die Blätter, schließt die grünen Klausen,
Ab sich wendend von der blutgen Welt.

Prächtig war die Nacht nun aufgegangen,
Hatte alle mütterlich umfangen,
Freund und Feind mit leisem Friedenskuß,
Und, als wollt der Herr vom Himmel steigen,
Hört ich wieder durch das tiefe Schweigen
Rings der Wälder feierlichen Gruß.

HEIMKEHR

Heimwärts kam ich spät gezogen
Nach dem väterlichen Haus,
Die Gedanken weit geflogen
Über Berg und Tal voraus.
»Nur noch hier aus diesem Walde!«
Sprach ich, streichelt sanft mein Roß,
»Goldnen Haber kriegst du balde,
Ruhn wir aus auf lichtem Schloß.«

»Doch warum auf diesen Wegen
Siehts so still und einsam aus?
Kommt denn keiner mir entgegen,
Bin ich nicht mehr Sohn vom Haus?
Kein' Hoboe hör ich schallen,
Keine bunte Truppe mehr
Seh ich froh den Burgpfad wallen –
Damals ging es lustger her.«

Über die vergold'ten Zinnen
Trat der Monden eben vor.
»Holla ho! Ist niemand drinnen?
Fest verriegelt ist das Tor.
Wer will in der Nacht mich weisen
Von des Vaters Hof und Haus!«
Mit dem Schwert hau ich die Eisen,
Und das Tor springt rasselnd auf.

Doch was seh ich! Wüst, verfallen
Zimmer, Hof und Bogen sind,
Einsam meine Tritte hallen,
Durch die Fenster pfeift der Wind.
Alle Ahnenbilder lagen
Glanzlos in den Schutt verwühlt,
Und die Zither drauf, zerschlagen,
Auf der ich als Kind gespielt.

Und ich nahm die alte Zither,
Trat ans Fenster voller Gras,
Wo so ofte hinterm Gitter
Sonst die Mutter bei mir saß:
Gern mit Märlein mich erbaute,
Daß ich still saß, Abendrot,
Strom und Wälder fromm beschaute –
»Mutter, bist du auch schon tot?«

So war ich in' Hof gekommen, –
Was ich da auf einmal sah,
Hat den Atem mir benommen,
Bleibt mir bis zum Tode nah;
Aufrecht saßen meine Ahnen,
Und kein Laut im Hofe ging,
Eingehüllt in ihre Fahnen,
Da im ewig stillen Ring.

Und den Vater unter ihnen
Sah ich sitzen an der Wand,
Streng und steinern seine Mienen,
Doch in tiefster Brust bekannt;
Und in den gefaltnen Händen
Hielt er ernst ein blankes Schwert,
Tät die Blicke niemals wenden,
Ewig auf den Stahl gekehrt.

Da rief ich aus tiefsten Schmerzen:
»Vater, sprich ein einzig Wort,
Wälz den Fels von deinem Herzen,
Starre nicht so ewig fort!
Was das Schwert mit seinen Scheinen,
Rede, was dein Schauen will;
Denn mir graust durch Mark und Beine,
Wie du so entsetzlich still.« –

Morgenleuchten kam geflogen,
Und der Vater ward so bleich,
Adler hoch darüber zogen
Durch das klare Himmelreich,
Und der Väter stiller Orden
Sank zur Ruh in Ewigkeit,
Steine, wie es lichte worden,
Standen da im Hof zerstreut.

Nur der Degen blieb da droben
Einsam liegen überm Grab;
»Sei denn Hab und Gut zerstoben,
Wenn ich dich, du Schwert nur hab'!«
Und ich faßt es. – Leute wühlten
Übern Berg, hinab, hinauf,
Ob sie für verrückt mich hielten –
Mir ging hell die Sonne auf.

HERMANNS ENKEL

Altdeutsch! – Altdeutsch? – Nun, das ist,
Was man so in Büchern liest: –
Kluge Rosse – prächtge Decken,
Händel, Kruzifixe, Recken –
O, wie herrlich strahlt dies Leben!
Göttlich! – Doch mit Unterschied.
Es versteht sich, daß mans deute –
's wär doch gar zu unbequem,
Wenn man alles wörtlich nähm,
Wie's da durcheinander blüht! –
Diese Ritter – gute Leute,
Ehrlich, tapfer, brave Reiter –
Gegen uns doch Bärenhäuter!
Eigentlich sind wir wohl weiter.
Lehnstreu – Klöster – Barbarei –
Davon machen wir uns frei. –

Fangen wir so an zu sichten:
Fürcht ich, bleibt es bei Gedichten –
Nein doch! Eines, geht mir bei,
Eines bleibt doch: Dies Vernichten
Aller Modesklaverei! –
Hohe Vaterländerei!
Schnittst du los nicht Hermanns Söhne
Von des Halstuchs schnöden Schlingen,
Worin, sonder Kraft und Schöne,
Unsre Väter schmählich hingen?
Gabst du nicht dem Löwen Mähne,
Die ihm frech die Zeit gestohlen?
Statt des windgen Fracks Geflatter
Der Litefka Schurz aus Polen,
Statt des Franzen knabenglatter
Schnauze: seinen Henri quatre? –
Bruder, ich sags unverholen,
Und auch du wirsts nicht bestreiten:
Große Zeichen großer Zeiten! –
Wahrlich, säh ich nicht den Kragen
Übern schwarzen Rock geschlagen,
Schien mir alles Ironie.
Doch wie sprech ich da? Ironisch –
Dieses Wort ist nicht teutonisch.
Undeutsch ist die falsche Freude:
Künsteln am wahrhaften Wort!
Ob auch feige Poesie
Sauere Gesichter schneide:

Durch den welschen Lügenwitz
Schreitet stramm der Deutsche fort
Hinter seiner Nasenspitz,
Aller Ehrlichkeiten Sitz,
Biderb immer grade aus.
Alles Welsche wird mir Graus,
Seit ich steck im deutschen Kleide:
Du auch, Liebchen, wähle gleich
Deine Tracht dir altdeutsch aus!
Wie's auf Bildern noch zu schauen:
Wedel von dem Schweif der Pfauen,
Dann von Spitzen, blumenreich,
Wie'ne mittelmäßge Scheibe,
Eine steife Halsrotunde!
's ist so überm schlanken Leibe
Wie ein Regenschirm gespannt,
Oben drauf dann statt dem Knopf
Schwebt der holde Frauenkopf,
In das Blütenmeer von Kragen,
Ariadnen gleich, verschlagen. –
O, und ein moralscher Kragen!
Denn wer ist da so gewandt,
Flüsternd was ins Ohr zu sagen,
Was nicht gleich die andern wissen?
Und - unmöglich ist das Küssen!

BEI HALLE

Da steht eine Burg überm Tale
Und schaut in den Strom hinein,
Das ist die fröhliche Saale,
Das ist der Gibichenstein.

Da hab ich so oft gestanden,
Es blühten Täler und Höhn,
Und seitdem in allen Landen
Sah ich nimmer die Welt so schön!

Durchs Grün da Gesänge schallten,
Von Rossen, zu Lust und Streit,
Schauten viel schlanke Gestalten,
Gleichwie in der Ritterzeit.

Wir waren die fahrenden Ritter,
Eine Burg war noch jedes Haus,
Es schaute durchs Blumengitter
Manch schönes Fräulein heraus.

Das Fräulein ist alt geworden,
Und unter Philistern umher
Zerstreut ist der Ritterorden,
Kennt keiner den andern mehr.

Auf dem verfallenen Schlosse,
Wie der Burggeist, halb im Traum,
Steh ich jetzt ohne Genossen
Und kenne die Gegend kaum.

Und Lieder und Lust und Schmerzen,
Wie liegen sie nun so weit –
O Jugend, wie tut im Herzen
Mir deine Schönheit so leid.

DIE HEIMAT

An meinen Bruder

Denkst du des Schlosses noch auf stiller Höh?
Das Horn lockt nächtlich dort, als obs dich riefe,
Am Abgrund grast das Reh,
Es rauscht der Wald verwirrend aus der Tiefe –
O stille, wecke nicht, es war als schliefe
Da drunten ein unnennbar Weh.

Kennst du den Garten? – Wenn sich Lenz erneut,
Geht dort ein Mädchen auf den kühlen Gängen
Still durch die Einsamkeit,
Und weckt den leisen Strom von Zauberklängen,
Als ob die Blumen und die Bäume sängen
Rings von der alten schönen Zeit.

Ihr Wipfel und ihr Bronnen rauscht nur zu!
Wohin du auch in wilder Lust magst dringen,
Du findest nirgends Ruh,
Erreichen wird dich das geheime Singen, –
Ach, dieses Bannes zauberischen Ringen
Entfliehn wir nimmer, ich und du!

ABSCHIED

Laß, Leben, nicht so wild die Locken wehen!
Es will so rascher Ritt mir nicht mehr glücken,
Hoch überm Land von diamantnen Brücken:
Mir schwindelt, in den Glanz hinabzusehen.

»Vom Rosse spielend meine Blicke gehen
Nach jüngern Augen, die mein Herz berücken,
Horch, wie der Frühling aufjauchzt vor Entzücken,
Kannst du nicht mit hinab, lass ich dich stehen.«

Kaum noch herzinnig mein, wendst du dich wieder,
Ist das der Lohn für deine treusten Söhne?
Dein trunkner Blick, fast möcht er mich erschrecken.

»Wer sagt dir, daß ich treu, weil ich so schöne?
Leb wohl, und streckst du müde einst die Glieder,
Will ich mit Blumen dir den Rasen decken.«

DER VERSPÄTETE WANDERER

Wo aber werd ich sein im künftgen Lenze?
So frug ich sonst wohl, wenn beim Hüteschwingen
Ins Tal wir ließen unser Lied erklingen,
Denn jeder Wipfel bot mir frische Kränze.

Ich wußte nur, daß rings der Frühling glänze,
Daß nach dem Meer die Ströme leuchtend gingen,
Vom fernen Wunderland die Vögel singen,
Da hatt das Morgenrot noch keine Grenze.

Jetzt aber wirds schon Abend, alle Lieben
Sind wandermüde längst zurückgeblieben,
Die Nachtluft rauscht durch meine welken Kränze,

Und heimwärts rufen mich die Abendglocken,
Und in der Einsamkeit frag ich erschrocken:
Wo werde ich wohl sein im künftgen Lenze?

AUF MEINES KINDES TOD

1

Das Kindlein spielt' draußen im Frühlingsschein,
Und freut' sich und hatte so viel zu sehen,
Wie die Felder schimmern und die Ströme gehen –
Da sah der Abend durch die Bäume herein,
Der alle die schönen Bilder verwirrt.
Und wie es nun ringsum so stille wird,
Beginnt aus den Tälern ein heimlich Singen,
Als wollts mit Wehmut die Welt umschlingen,
Die Farben vergehn und die Erde wird blaß.
Voll Staunen fragt's Kindlein: Ach, was ist das?
Und legt sich träumend ins säuselnde Gras;
Da rühren die Blumen ihm kühle ans Herz
Und lächelnd fühlt es so süßen Schmerz,
Und die Erde, die Mutter, so schön und bleich,
Küßt das Kindlein und läßts nicht los,
Zieht es herzinnig in ihren Schoß
Und bettet es drunten gar warm und weich,
Still unter Blumen und Moos. –

»Und was weint ihr, Vater und Mutter, um mich?
In einem viel schöneren Garten bin ich,
Der ist so groß und weit und wunderbar,
Viel Blumen stehn dort von Golde klar,
Und schöne Kindlein mit Flügeln schwingen

Auf und nieder sich drauf und singen. –
Die kenn ich gar wohl aus der Frühlingszeit,
Wie sie zogen über Berge und Täler weit
Und mancher mich da aus dem Himmelblau rief,
Wenn ich drunten im Garten schlief. –
Und mitten zwischen den Blumen und Scheinen
Steht die schönste von allen Frauen,
Ein glänzend Kindlein an ihrer Brust. –
Ich kann nicht sprechen und auch nicht weinen,
Nur singen immer und wieder dann schauen
Still vor großer, seliger Lust.«

2

Als ich nun zum ersten Male
Wieder durch den Garten ging,
Busch und Bächlein in dem Tale
Lustig an zu plaudern fing.

Blumen halbverstohlen blickten
Neckend aus dem Gras heraus,
Bunte Schmetterlinge schickten
Sie sogleich auf Kundschaft aus.

Auch der Kuckuck in den Zweigen
Fand sich bald zum Spielen ein,
Endlich brach der Baum das Schweigen:
»Warum kommst du heut allein?«

Da ich aber schwieg, da rührt' er
Wunderbar sein dunkles Haupt,
Und ein Flüstern konnt ich spüren
Zwischen Vöglein, Blüt und Laub.

Tränen in dem Grase hingen,
Durch die abendstille Rund
Klagend nun die Quellen gingen,
Und ich weint aus Herzensgrund.

3

Was ist mir denn so wehe?
Es liegt ja wie im Traum
Der Grund schon, wo ich stehe,
Die Wälder säuseln kaum

Noch von der dunklen Höhe.
Es komme wie es will,
Was ist mir denn so wehe –
Wie bald wird alles still.

4

Das ists, was mich ganz verstöret:
Daß die Nacht nicht Ruhe hält,
Wenn zu atmen aufgehöret
Lange schon die müde Welt.

Daß die Glocken, die da schlagen,
Und im Wald der leise Wind
Jede Nacht von neuem klagen
Um mein liebes, süßes Kind.

Daß mein Herz nicht konnte brechen
Bei dem letzten Todeskuß,
Daß ich wie im Wahnsinn sprechen
Nun in irren Liedern muß.

5

Freuden wollt ich dir bereiten,
Zwischen Kämpfen, Lust und Schmerz
Wollt ich treulich dich geleiten
Durch das Leben himmelwärts.

Doch du hasts allein gefunden,
Wo kein Vater führen kann,
Durch die ernste, dunkle Stunde
Gingst du schuldlos mir voran.

Wie das Säuseln leiser Schwingen
Draußen über Tal und Kluft
Ging zur selben Stund ein Singen
Ferne durch die stille Luft.

Und so fröhlich glänzt' der Morgen,
's war als ob das Singen sprach:
Jetzo lasset alle Sorgen,
Liebt ihr mich, so folgt mir nach!

6

Ich führt dich oft spazieren
In Wintereinsamkeit,
Kein Laut ließ sich da spüren,
Du schöne, stille Zeit!

Lenz ists nun, Lerchen singen
Im Blauen über mir,
Ich weine still – sie bringen
Mir einen Gruß von dir.

7

Die Welt treibt fort ihr Wesen,
Die Leute kommen und gehn,
Als wärst du nie gewesen,
Als wäre nichts geschehn.

Wie sehn ich mich aufs neue
Hinaus in Wald und Flur!
Ob ich mich gräm, mich freue,
Du bleibst mir treu, Natur.

Da klagt vor tiefem Sehnen
Schluchzend die Nachtigall,
Es schimmern rings von Tränen
Die Blumen überall.

Und über alle Gipfel
Und Blütentäler zieht
Durch stillen Waldes Wipfel
Ein heimlich Klagelied.

Da spür ichs recht im Herzen,
Daß dus, Herr, draußen bist –
Du weißt, wie mir von Schmerzen
Mein Herz zerrissen ist!

8

Von fern die Uhren schlagen,
Es ist schon tiefe Nacht,
Die Lampe brennt so düster,
Dein Bettlein ist gemacht.

Die Winde nur noch gehen
Wehklagend um das Haus,
Wir sitzen einsam drinne
Und lauschen oft hinaus.

Es ist, als müßtest leise
Du klopfen an die Tür,
Du hättest dich nur verirret,
Und kämst nun müd zurück.

Wir armen, armen Toren!
Wir irren ja im Graus
Des Dunkels noch verloren –
Du fandst dich längst nach Haus.

9

Dort ist so tiefer Schatten,
Du schläfst in guter Ruh,
Es deckt mit grünen Matten
Der liebe Gott dich zu.

Die alten Weiden neigen
Sich auf dein Bett herein,
Die Vöglein in den Zweigen
Sie singen treu dich ein.

Und wie in goldnen Träumen
Geht linder Frühlingswind
Rings in den stillen Bäumen –
Schlaf wohl mein süßes Kind!

10

Mein liebes Kind, Ade!
Ich konnt Ade nicht sagen,
Als sie dich fortgetragen,
Vor tiefem, tiefem Weh.

Jetzt auf lichtgrünem Plan
Stehst du im Myrtenkranze,
Und lächelst aus dem Glanze
Mich still voll Mitleid an.

Und Jahre nahn und gehn,
Wie bald bin ich verstoben –
O bitt für mich da droben,
Daß wir uns wiedersehn!

GÖTTERDÄMMERUNG

1

Was klingt mir so heiter
Durch Busen und Sinn?
Zu Wolken und weiter,
Wo trägt es mich hin?

Wie auf Bergen hoch bin ich
So einsam gestellt
Und grüße herzinnig
Was schön auf der Welt.

Ja, Bacchus, dich seh ich,
Wie göttlich bist du!
Dein Glühen versteh ich,
Die träumende Ruh.

O rosenbekränztes
Jünglingsbild,
Dein Auge, wie glänzt es,
Die Flammen so mild!

Ists Liebe, ists Andacht,
Was so dich beglückt?
Rings Frühling dich anlacht,
Du sinnest entzückt. –

Frau Venus, du Frohe,
So klingend und weich,
In Morgenrots Lohe
Erblick ich dein Reich.

Auf sonnigen Hügeln
Wie ein' Zauberring. –
Zart Bübchen mit Flügeln
Bedienen dich flink,

Durchsäuseln die Räume
Und laden, was fein,
Als goldene Träume
Zur Königin ein.

Und Ritter und Frauen
Im Grünen Revier
Durchschwärmen die Auen
Wie Blumen zur Zier.

Und jeglicher hegt sich
Sein Liebchen im Arm,
So wirrt und bewegt sich
Der selige Schwarm. –

Die Klänge verrinnen,
Es bleichet das Grün,
Die Frauen stehn sinnend,
Die Ritter schaun kühn.

Und himmlisches Sehnen
Geht singend durchs Blau,
Da schimmert von Tränen
Rings Garten und Au. –

Und mitten im Feste
Erblick ich, wie mild!
Den stillsten der Gäste. –
Woher, einsam Bild?

Mit blühendem Mohne,
Der träumerisch glänzt,
Und mit Lilienkrone
Erscheint er bekränzt.

Sein Mund schwillt zum Küssen
So lieblich und bleich,
Als brächt er ein Grüßen
Aus himmlischem Reich.

Eine Fackel wohl trägt er,
Die wunderbar prangt.
»Wo ist einer«, frägt er,
»Den heimwärts verlangt?«

Und manchmal da drehet
Die Fackel er um –
Tiefschauernd vergehet
Die Welt und wird stumm.

Und was hier versunken
Als Blumen zum Spiel,
Siehst oben du funkeln
Als Sterne nun kühl. –

O Jüngling vom Himmel,
Wie bist du so schön!
Ich laß das Gewimmel,
Mit dir will ich gehn!

Was will ich noch hoffen?
Hinauf, ach hinauf!
Der Himmel ist offen,
Nimm, Vater, mich auf!

2

Von kühnen Wunderbildern
Ein großer Trümmerhauf,
In reizendem Verwildern
Ein blühnder Garten drauf;

Versunknes Reich zu Füßen,
Vom Himmel fern und nah,
Aus anderm Reich ein Grüßen –
Das ist Italia!

Wenn Frühlingslüfte wehen
Hold übern grünen Plan,
Ein leises Auferstehen
Hebt in den Tälern an.

Da will sichs unten rühren
Im stillen Göttergrab,
Der Mensch kanns schauernd spüren
Tief in die Brust hinab.

Verwirrend in den Bäumen
Gehn Stimmen hin und her,
Ein sehnsuchtsvolles Träumen
Weht übers blaue Meer.

Und unterm duftgen Schleier,
So oft der Lenz erwacht,
Webt in geheimer Feier
Die alte Zaubermacht.

Frau Venus hört das Locken,
Der Vögel heitern Chor,
Und richtet froh erschrocken
Aus Blumen sich empor.

Sie sucht die alten Stellen,
Das luftge Säulenhaus,
Schaut lächelnd in die Wellen
Der Frühlingsluft hinaus.

Doch öd sind nun die Stellen,
Stumm liegt ihr Säulenhaus,
Gras wächst da auf den Schwellen,
Der Wind zieht ein und aus.

Wo sind nun die Gespielen?
Diana schläft im Wald,
Neptunus ruht im kühlen
Meerschloß, das einsam hallt.

Zuweilen nur Sirenen
Noch tauchen aus dem Grund,
Und tun in irren Tönen
Die tiefe Wehmut kund. –

Sie selbst muß sinnend stehen
So bleich im Frühlingsschein,
Die Augen untergehen,
Der schöne Leib wird Stein. –

Denn über Land und Wogen
Erscheint, so still und mild,
Hoch auf dem Regenbogen
Ein andres Frauenbild.

Ein Kindlein in den Armen
Die Wunderbare hält,
Und himmlisches Erbarmen
Durchdringt die ganze Welt.

Da in den lichten Räumen
Erwacht das Menschenkind,
Und schüttelt böses Träumen
Von seinem Haupt geschwind.

Und, wie die Lerche singend,
Aus schwülen Zaubers Kluft
Erhebt die Seele ringend
Sich in die Morgenluft.

DER FROMME

Es saß ein Kind gebunden und gefangen,
Wo vor der Menschen eitlem Tun und Schallen
Der Vorzeit Wunderlaute trüb verhallen;
Der alten Heimat dacht' es voll Verlangen.

Da sieht es draußen Ströme, hell ergangen,
Durch zaubrisch Land viel Pilger, Sänger wallen,
Kühl rauscht der Wald, die lustgen Hörner schallen,
Aurora scheint, so weit die Blicke langen. –

O laß die Sehnsucht ganz dein Herz durchdringen!
So legt sich blühend um die Welt dein Trauern
Und himmlisch wird dein Schmerz und deine Sorgen.

Ein frisch Gemüt mag wohl die Welt bezwingen,
Ein recht Gebet bricht Banden bald und Mauern:
Und frei springst du hinunter in den Morgen.

—

Willkommen, Liebchen, denn am Meeresstrande!
Wie rauschen lockend da ans Herz die Wellen
Und tiefe Sehnsucht will die Seele schwellen,
Wenn andre träge schlafen auf dem Lande.

So walte Gott! – Ich lös des Schiffleins Bande,
Wegweiser sind die Stern, die ewig hellen,
Viel Segel fahren da und frisch Gesellen
Begrüßen uns von ihrer Schiffe Rande.

Wir sitzen still, gleich Schwänen zieht das Segel,
Ich schau in deiner Augen lichte Sterne,
Du schweigst und schauerst heimlich oft zusammen.

Blick auf! Schon schweifen Paradiesesvögel,
Schon wehen Wunderklänge aus der Ferne,
Der Garten Gottes steigt aus Morgenflammen.

OSTERN

Vom Münster Trauerglocken klingen,
Vom Tal ein Jauchzen schallt herauf.
Zur Ruh sie dort dem Toten singen,
Die Lerchen jubeln: Wache auf!
Mit Erde sie ihn still bedecken,
Das Grün aus allen Gräbern bricht,
Die Ströme hell durchs Land sich strecken,
Der Wald ernst wie in Träumen spricht,
Und bei den Klängen, Jauchzen, Trauern,
Soweit ins Land man schauen mag,
Es ist ein tiefes Frühlingsschauern
Als wie ein Auferstehungstag.

HERBSTWEH

1

So still in den Feldern allen,
Der Garten ist lange verblüht,
Man hört nur flüsternd die Blätter fallen,
Die Erde schläfert – ich bin so müd.

2

Es schüttelt die welken Blätter der Wald,
Mich friert, ich bin schon alt,
Bald kommt der Winter und fällt der Schnee,
Bedeckt den Garten und mich und alles, alles Weh.

WINTERNACHT

Verschneit liegt rings die ganze Welt,
Ich hab nichts, was mich freuet,
Verlassen steht der Baum im Feld,
Hat längst sein Laub verstreuet.

Der Wind nur geht bei stiller Nacht
Und rüttelt an dem Baume,
Da rührt er seinen Wipfel sacht
Und redet wie im Traume.

Er träumt von künftger Frühlingszeit,
Von Grün und Quellenrauschen,
Wo er im neuen Blütenkleid
Zu Gottes Lob wird rauschen.

WEIHNACHTEN

Markt und Straßen stehn verlassen,
Still erleuchtet jedes Haus,
Sinnend geh ich durch die Gassen,
Alles sieht so festlich aus.

An den Fenstern haben Frauen
Buntes Spielzeug fromm geschmückt,
Tausend Kindlein stehn und schauen,
Sind so wunderstill beglückt.

Und ich wandre aus den Mauern
Bis hinaus ins freie Feld,
Hehres Glänzen, heilges Schauern!
Wie so weit und still die Welt!

Sterne hoch die Kreise schlingen,
Aus des Schnees Einsamkeit
Steigts wie wunderbares Singen –
O du gnadenreiche Zeit!

MORGENDÄMMERUNG

Es ist ein still Erwarten in den Bäumen,
Die Nachtigallen in den Büschen schlagen
In irren Klagen, könnens doch nicht sagen,
Die Schmerzen all und Wonne, halb in Träumen.

Die Lerche auch will nicht die Zeit versäumen,
Da solches Schallen bringt die Luft getragen,
Schwingt sich vom Tal, ehs noch beginnt zu tagen,
Im ersten Strahl die Flügel sich zu säumen.

Ich aber stand schon lange in dem Garten
Und bin ins stille Feld hinausgegangen,
Wo leis die Ähren an zu wogen fingen.

O fromme Vöglein, ihr und ich, wir warten
Aufs frohe Licht, da ist uns vor Verlangen
Bei stiller Nacht erwacht so sehnend Singen.

DER EINSIEDLER

Komm, Trost der Welt, du stille Nacht!
Wie steigst du von den Bergen sacht,
Die Lüfte alle schlafen,
Ein Schiffer nur noch, wandermüd,
Singt übers Meer sein Abendlied
Zu Gottes Lob im Hafen.

Die Jahre wie die Wolken gehn
Und lassen mich hier einsam stehn,
Die Welt hat mich vergessen,
Da tratst du wunderbar zu mir,
Wenn ich beim Waldesrauschen hier
Gedankenvoll gesessen.

O Trost der Welt, du stille Nacht!
Der Tag hat mich so müd gemacht,
Das weite Meer schon dunkelt,
Laß ausruhn mich von Lust und Not,
Bis daß das ewge Morgenrot
Den stillen Wald durchfunkelt.

NACHTLIED

Vergangen ist der lichte Tag,
Von ferne kommt der Glocken Schlag;
So reist die Zeit die ganze Nacht,
Nimmt manchen mit, ders nicht gedacht.

Wo ist nun hin die bunte Lust,
Des Freundes Trost und treue Brust,
Des Weibes süßer Augenschein?
Will keiner mit mir munter sein?

Da's nun so stille auf der Welt,
Ziehn Wolken einsam übers Feld,
Und Feld und Baum besprechen sich, –
O Menschenkind! was schauert dich?

Wie weit die falsche Welt auch sei,
Bleibt mir doch Einer nur getreu,
Der mit mir weint, der mit mir wacht,
Wenn ich nur recht an ihn gedacht.

Frisch auf denn, liebe Nachtigall,
Du Wasserfall mit hellem Schall!
Gott loben wollen wir vereint,
Bis daß der lichte Morgen scheint!

MONDNACHT

Es war, als hätt der Himmel
Die Erde still geküßt,
Daß sie im Blütenschimmer
Von ihm nun träumen müßt.

Die Luft ging durch die Felder,
Die Ähren wogten sacht,
Es rauschten leis die Wälder,
So sternklar war die Nacht.

Und meine Seele spannte
Weit ihre Flügel aus,
Flog durch die stillen Lande,
Als flöge sie nach Haus.

DER KRANKE

Soll ich dich denn nun verlassen,
Erde, heitres Vaterhaus?
Herzlich Lieben, mutig Hassen,
Ist denn alles, alles aus?

Vor dem Fenster durch die Linden
Spielt es wie ein linder Gruß,
Lüfte, wollt ihr mir verkünden,
Daß ich bald hinunter muß? –

Liebe, ferne, blaue Hügel,
Stiller Fluß im Talesgrün,
Ach, wie oft wünscht ich mir Flügel,
Über euch hinweg zu ziehn!

Da sich jetzt die Flügel dehnen,
Schaur ich in mich selbst zurück,
Und ein unbeschreiblich Sehnen
Zieht mich zu der Welt zurück.

DAS ALTER

Hoch mit den Wolken geht der Vögel Reise,
Die Erde schläfert, kaum noch Astern prangen,
Verstummt die Lieder, die so fröhlich klangen,
Und trüber Winter deckt die weiten Kreise.

Die Wanduhr pickt, im Zimmer singet leise
Waldvöglein noch, so du im Herbst gefangen.
Ein Bilderbuch schein alles, was vergangen,
Du blätterst drin, geschützt vor Sturm und Eise.

So mild ist oft das Alter mir erschienen:
Wart nur, bald taut es von den Dächern wieder
Und über Nacht hat sich die Luft gewendet.

Ans Fenster klopft ein Bot' mit frohen Mienen,
Du trittst erstaunt heraus – und kehrst nicht wieder,
Denn endlich kommt der Lenz, der nimmer endet.

DURCH!

Ein Adler saß am Felsenbogen,
Den lockt' der Sturm weit übers Meer,
Da hatt er droben sich verflogen,
Er fand sein Felsennest nicht mehr,
Tief unten sah er kaum noch liegen
Verdämmernd Wald und Land und Meer,
Mußt' höher, immer höher fliegen,
Ob nicht der Himmel offen wär.

DER ALTE GARTEN

Kaiserkron und Päonien rot,
Die müssen verzaubert sein,
Denn Vater und Mutter sind lange tot,
Was blühn sie hier so allein?

Der Springbrunn plaudert noch immerfort
Von der alten schönen Zeit,
Eine Frau sitzt eingeschlafen dort,
Ihre Locken bedecken ihr Kleid.

Sie hat eine Laute in der Hand,
Als ob sie im Schlafe spricht,
Mir ist, als hätt ich sie sonst gekannt –
Still, geh vorbei und weck sie nicht!

Und wenn es dunkelt das Tal entlang,
Streift sie die Saiten sacht,
Da gibts einen wunderbaren Klang
Durch den Garten die ganze Nacht.

WALDGESPRÄCH

Es ist schon spät, es wird schon kalt,
Was reitst du einsam durch den Wald?
Der Wald ist lang, du bist allein,
Du schöne Braut! Ich führ dich heim!

»Groß ist der Männer Trug und List,
Vor Schmerz mein Herz gebrochen ist,
Wohl irrt das Waldhorn her und hin,
O flieh! Du weißt nicht, wer ich bin.«

So reich geschmückt ist Roß und Weib,
So wunderschön der junge Leib.
Jetzt kenn ich dich – Gott steh mir bei!
Du bist die Hexe Lorelei.

»Du kennst mich wohl – von hohem Stein
Schaut still mein Schloß tief in den Rhein.
Es ist schön spät, es wird schon kalt,
Kommst nimmermehr aus diesem Wald!«

DAS ZERBROCHENE RINGLEIN

In einem kühlen Grunde
Da geht ein Mühlenrad,
Mein Liebste ist verschwunden,
Die dort gewohnet hat.

Sie hat mir Treu versprochen,
Gab mir ein'n Ring dabei,
Sie hat die Treu gebrochen,
Mein Ringlein sprang entzwei.

Ich möcht als Spielmann reisen
Weit in die Welt hinaus,
Und singen meine Weisen,
Und gehn von Haus zu Haus.

Ich möcht als Reiter fliegen
Wohl in die blutge Schlacht,
Um stille Feuer liegen
Im Feld bei dunkler Nacht.

Hör ich das Mühlrad gehen:
Ich weiß nicht, was ich will –
Ich möcht am liebsten sterben,
Da wärs auf einmal still!

SONST

Es glänzt der Tulpenflor, durchschnitten von Alleen,
Wo zwischen Taxus still die weißen Statuen stehen,
Mit goldnen Kugeln spielt die Wasserkunst im Becken,
Im Laube lauert Sphinx, anmutig zu erschrecken.

Die schöne Chloe heut spazieret in dem Garten,
Zur Seit ein Kavalier, ihr höflich aufzuwarten,
Und hinter ihnen leis Kupido kommt gezogen,
Bald duckend sich im Grün, bald zielend mit dem Bogen.

Es neigt der Kavalier sich in galantem Kosen,
Mit ihrem Fächer schlägt sie manchmal nach dem Losen,
Es rauscht der taftne Rock, es blitzen seine Schnallen,
Dazwischen hört man oft ein artges Lachen schallen.

Jetzt aber hebt vom Schloß, da sichs im West will röten,
Die Spieluhr schmachtend an, ein Menuett zu flöten,
Die Laube ist so still, er wirft sein Tuch zur Erde
Und stürzet auf die Knie mit zärtlicher Gebärde.

»Wie wird mir, ach, ach, es fängt schon an zu dunkeln –«
»So angenehmer nur seh ich zwei Sterne funkeln –«
»Verwegner Kavalier!« – »Ha, Chloe, darf ich hoffen? – «
Da schießt Kupido los und hat sie gut getroffen.

DIE BRAUTFAHRT

Durch des Meeresschlosses Hallen
Auf bespültem Felsenhang
Weht der Hörner festlich Schallen;
Froher Hochzeitgäste Drang,
Bei der Kerzen Zauberglanze,
Wogt im buntverschlungnen Tanze.

Aber an des Fensters Bogen,
Ferne von der lauten Pracht,
Schaut der Bräutgam in die Wogen
Draußen in der finstern Nacht,
Und die trunknen Blicke schreiten
Furchtlos durch die öden Weiten.

»Lieblich«, sprach der wilde Ritter
Zu der zarten, schönen Braut,
»Lieblich girrt die sanfte Zither –
Sturm ist meiner Seele Laut,
Und der Wogen dumpfes Brausen
Hebt das Herz in kühnem Grausen.

Ich kann hier nicht müßig lauern,
Treiben auf dem flachen Sand,
Dieser Kreis von Felsenmauern
Hält mein Leben nicht umspannt;
Schönre Länder blühen ferne,
Das verkünden mir die Sterne.

Du mußt glauben, du mußt wagen,
Und, den Argonauten gleich,
Wird die Woge fromm dich tragen
In das wunderbare Reich;
Mutig streitend mit den Winden,
Muß ich meine Heimat finden!

Siehst du, heißer Sehnsucht Flügel,
Weiße Segel dort gespannt?
Hörst du tief die feuchten Hügel
Schlagen an die Felsenwand?
Das ist Sang zum Hochzeitsreigen –
Willst du mit mir niedersteigen?

Kannst du rechte Liebe fassen,
Nun so frage, zaudre nicht!
Schloß und Garten mußt du lassen
Und der Eltern Angesicht –
Auf der Flucht mit mir alleine,
Da erst, Liebchen, bist du meine!«

Schweigend sieht ihn an die milde
Braut mit schauerlicher Lust,
Sinkt dem kühnen Ritterbilde
Trunken an die stolze Brust:
»Dir hab ich mein Los ergeben,
Schalte nun mit meinem Leben.«

Und er trägt die süße Beute
Jubelnd aus dem Schloß aufs Schiff,
Drunten harren seine Leute,
Stoßen froh vom Felsenriff;
Und die Hörner leis verhallen,
Einsam rings die Wogen schallen.

Wie die Sterne matter blinken
In die morgenrote Flut,
Sieht sie fern die Berge sinken,
Flammend steigt die hehre Glut,
Überm Spiegel trunkner Wellen
Rauschender die Segel schwellen.

Monde steigen und sich neigen,
Lieblich weht schon fremde Luft,
Da sehn sie ein Eiland steigen
Feenhaft aus blauem Duft,
Wie ein farbger Blumenstreifen –
Meerwärts fremde Vögel schweifen.

Alle faßt ein freudges Beben –
Aber dunkler rauscht das Meer,
Schwarze Wetter schwer sich heben,
Stille wird es rings umher,
Und nur freudiger und treuer
Steht der Ritter an dem Steuer.

Und nun flattern wilde Blitze,
Sturm rast um den Felsenriff,
Und von grimmer Wogen Spitze
Stürzt geborsten sich das Schiff.
Schwankend auf des Mastes Splitter,
Schlingt die Braut sich um den Ritter.

Und die Müde in den Armen,
Springt er abwärts, sinkt und ringt,
Hält den Leib, den blühend warmen,
Bis er alle Wogen zwingt,
Und am Blumenstrand gerettet,
Auf das Gras sein Liebstes bettet.

»Wache auf, wach auf, du Schöne!
Liebesheimat ringsum lacht,
Zaubrisch ringen Duft und Töne,
Wunderbarer Blumen Pracht
Funkelt rings im Morgengolde –
Schau um dich! Wach auf, du Holde!«

Aber frei von Lust und Kummer
Ruht die liebliche Gestalt,
Lächelnd noch im längsten Schlummer,
Und das Herz ist still und kalt,
Still der Himmel, still im Meere,
Schimmernd rings des Taues Zähre.

Und er sinkt zu ihr vor Schmerzen,
Einsam in dem fremden Tal,
Tränen aus dem wilden Herzen
Brechen da zum ersten Mal,
Und vor diesem Todesbilde
Wird die ganze Seele milde.

Von der langen Täuschung trennt er
Schauernd sich – der Stolz entweicht,
Andre Heimat nun erkennt er,
Die kein Segel hier erreicht,
Und an echten Schmerzen ranken
Himmelwärts sich die Gedanken.

Scharrt die Tote ein in Stille,
Pflanzt ein Kreuz hoch auf ihr Grab,
Wirft von sich die seidne Hülle,
Leget Schwert und Mantel ab,
Kleidet sich in rauhe Felle,
Haut in Fels sich die Kapelle.

Überm Rauschen dunkler Wogen
In der wilden Einsamkeit,
Hausend auf dem Felsenbogen,
Ringt er fromm mit seinem Leid,
Hat, da manches Jahr entschwunden,
Heimat, Braut und Ruh gefunden. –

Viele Schiffe drunten gehen
An dem schönen Inselland,
Sehen hoch das Kreuz noch stehen,
Warnend von der Felsenwand;
Und des strengen Büßers Kunde
Gehet fromm von Mund zu Munde.

DIE VERLORENE BRAUT

Vater und Kind gestorben
Ruhten im Grabe tief,
Die Mutter hatt erworben
Seitdem ein ander Lieb.

Da droben auf dem Schlosse
Da schallt das Hochzeitsfest,
Da lachts und wiehern Rosse,
Durchs Grün ziehn bunte Gäst.

Die Braut schaut' ins Gefilde
Noch einmal vom Altan,
Es sah so ernst und milde
Sie da der Abend an.

Rings waren schon verdunkelt
Die Täler und der Rhein,
In ihrem Brautschmuck funkelt
Nur noch der Abendschein.

Sie hörte Glocken gehen
Im weiten, tiefen Tal,
Es bracht der Lüfte Wehen
Fern übern Wald den Schall.

Sie dacht: »O falscher Abend!
Wen das bedeuten mag?
Wen läuten sie zu Grabe
An meinem Hochzeitstag?«

Sie hört' im Garten rauschen
Die Brunnen immerdar,
Und durch der Wälder Rauschen
Ein Singen wunderbar.

Sie sprach: »Wie wirres Klingen
Kommt durch die Einsamkeit,
Das Lied wohl hört ich singen
In alter, schöner Zeit.«

Es klang, als wollt sies rufen
Und grüßen tausendmal –
So stieg sie von den Stufen,
So kühle rauscht' das Tal.

So zwischen Weingehängen
Stieg sinnend sie ins Land
Hinunter zu den Klängen,
Bis sie im Walde stand.

Dort ging sie, wie in Träumen,
Im weiten, stillen Rund,
Das Lied klang in den Bäumen,
Von Quellen rauscht' der Grund. –

Derweil von Mund zu Munde
Durchs Haus, erst heimlich sacht,
Und lauter geht die Kunde:
Die Braut irrt in der Nacht!

Der Bäutigam tät erbleichen,
Er hört im Tal das Lied,
Ein dunkelrotes Zeichen
Ihm von der Stirne glüht.

Und Tanz und Jubel enden,
Er und die Gäst im Saal,
Windlichter in den Händen,
Sich stürzen in das Tal.

Da schweifen rote Scheine,
Schall nun und Rosseshuf,
Es hallen die Gesteine
Rings von verworrnem Ruf.

Doch einsam irrt die Fraue
Im Walde schön und bleich,
Die Nacht hat tiefes Grauen,
Das ist von Sternen so reich.

Und als sie war gelanget
Zum allerstillsten Grund,
Ein Kind am Felsenhange
Dort freundlich lächelnd stund.

Das trug in seinen Locken
Einen weißen Rosenkranz,
Sie schaut' es an erschrocken
Beim irren Mondesglanz.

»Solch' Augen hat das meine,
Ach meines bist du nicht,
Das ruht ja unterm Steine,
Den niemand mehr zerbricht.

Ich weiß nicht, was mir grauset,
Blick nicht so fremd auf mich!
Ich wollt, ich wär zu Hause.« –
»Nach Hause führ ich dich.«

Sie gehn nun miteinander,
So trübe weht der Wind,
Die Fraue sprach im Wandern:
»Ich weiß nicht, wo wir sind.

Wen tragen sie beim Scheine
Der Fackeln durch die Schluft?
O Gott, der stürzt' vom Steine
Sich tot in dieser Kluft!«

Das Kind sagt: »Den sie tragen,
Dein Bräutgam heute war,
Er hat meinen Vater erschlagen,
's ist diese Stund ein Jahr.

Wir alle müssens büßen,
Bald wird es besser sein,
Der Vater läßt dich grüßen,
Mein liebes Mütterlein.«

Ihr schauerts durch die Glieder:
»Du bist mein totes Kind!
Wie funkeln die Sterne nieder,
Jetzt weiß ich, wo wir sind.« –

Da löst' sie Kranz und Spangen,
Und über ihr Angesicht
Perlen und Tränen rannen,
Man unterschied sie nicht.

Und über die Schultern nieder
Rollten die Locken sacht,
Verdunkelnd Augen und Glieder,
Wie eine prächtige Nacht.

Ums Kind den Arm geschlagen,
Sank sie ins Gras hinein –
Dort hatten sie erschlagen
Den Vater im Gestein.

Die Hochzeitsgäste riefen
Im Walde auf und ab,
Die Gründe alle schliefen,
Nur Echo Antwort gab.

Und als sich leis erhoben
Der erste Morgenduft,
Hörten die Hirten droben
Ein Singen in stiller Luft.

ZAUBERBLICK

Die Burg, die liegt verfallen
In schöner Einsamkeit,
Dort saß ich vor den Hallen
Bei stiller Mittagszeit.

Es ruhten in der Kühle
Die Rehe auf dem Wall
Und tief in blauer Schwüle
Die sonngen Täler all.

Tief unten hört ich Glocken
In weiter Ferne gehn,
Ich aber muß erschrocken
Zum alten Erker sehn.

Denn in dem Fensterbogen
Ein' schöne Fraue stand,
Als hüte sie da droben
Die Wälder und das Land.

Ihr Haar, wie'n goldner Mantel,
War tief herabgerollt;
Auf einmal sie sich wandte,
Als ob sie sprechen wollt.

Und als ich schauernd lauschte –
Da war ich aufgewacht,
Und unter mir schon rauschte
So wunderbar die Nacht.

Träumt ich im Mondesschimmer?
Ich weiß nicht, was mir graut,
Doch das vergess ich nimmer,
Wie sie mich angeschaut!

DER BRÄUTIGAM

Von allen Bergen nieder
So fröhlich Grüßen schallt –
Das ist der Frühling wieder,
Der ruft zum grünen Wald!

Ein Liedchen ist erklungen
Herauf zum stillen Schloß –
Dein Liebster hats gesungen,
Der hebt dich auf sein Roß.

Wir reiten so geschwinde,
Von allen Menschen weit. –
Da rauscht die Luft so linde
In Waldeseinsamkeit.

Wohin? Im Mondenschimmer
So bleich der Wald schon steht. –
Leis rauscht die Nacht – frag nimmer,
Wo Lieb zu Ende geht!

DER UNBEKANNTE

Vom Dorfe schon die Abendglocken klangen,
Die müden Vöglein gingen auch zur Ruh,
Nur auf den Wiesen noch die Heimchen sangen
Und von den Bergen rauscht' der Wald dazu;
Da kam ein Wandrer durch die Ährenwogen,
Aus fernen Landen schien er hergezogen.

Vor seinem Hause, unter blühnden Lauben
Lud ihn ein Mann zum fröhlchen Rasten ein,
Die junge Frau bracht Wein und Brot und Trauben,
Setzt' dann, umspielt vom letzten Abendschein,
Sich neben ihn und blickt halb scheu, halb lose,
Ein lockig Knäblein lächelnd auf dem Schoße.

Ihr dünkt', er wär schon einst im Dorf gewesen,
Und doch so fremd und seltsam war die Tracht,
In seinen Mienen feurge Schrift zu lesen
Gleich Wetterleuchten fern bei stiller Nacht,
Und traf sein Auge sie, wollt' ihr fast grauen,
Denn's war, wie in den Himmelsgrund zu schauen.

Und wie sich kühler nun die Schatten breiten:
Vom Berg Vesuv, der über Trümmern raucht,
Vom blauen Meer, wo Schwäne singend gleiten,
Kristallnen Inseln, blühend draus getaucht,
Und Glocken, die im Meeresgrunde schlagen,
Wußt wunderbar der schöne Gast zu sagen.

»Hast viel erfahren, willst du ewig wandern?«
Sprach drauf sein Wirt mit herzlichem Vertraun,
»Hier kannst du froh genießen wie die andern,
Am eignen Herd dein kleines Gärtchen baun,
Des Nachbars Töchter haben reiche Truhen,
Ruh endlich aus, brauchst nicht allein zu ruhen.«

Da stand der Wandrer auf, es blühten Sterne
Schon aus dem Dunkel überm stillen Land,
»Gesegn euch Gott! Mein Heimatland liegt ferne. –«
Und als er von den beiden sich gewandt,
Kam himmlisch Klingen von der Waldeswiese –
So sternklar war noch keine Nacht wie diese.

LETZTE HEIMKEHR

Der Wintermorgen glänzt so klar,
Ein Wandrer kommt von ferne,
Ihn schüttelt Frost, es starrt sein Haar,
Ihm log die schöne Ferne,
Nun endlich will er rasten hier,
Er klopft an seines Vaters Tür.

Doch tot sind, die sonst aufgetan,
Verwandelt Hof und Habe,
Und fremde Leute sehn ihn an,
Als käm er aus dem Grabe;
Ihn schauert tief im Herzensgrund,
Ins Feld eilt er zur selben Stund.

Da sang kein Vöglein weit und breit,
Er lehnt' an einem Baume,
Der schöne Garten lag verschneit,
Es war ihm wie im Traume,
Und wie die Morgenglocke klingt,
Im stillen Feld er niedersinkt.

Und als er aufsteht vom Gebet,
Nicht weiß, wohin sich wenden,
Ein schöner Jüngling bei ihm steht,
Faßt mild ihn bei den Händen:
»Komm mit, sollst ruhn nach kurzem Gang.« –
Er folgt, ihn rührt der Stimme Klang.

Nun durch die Bergeseinsamkeit
Sie wie zum Himmel steigen,
Kein Glockenklang mehr reicht so weit,
Sie sehn im öden Schweigen
Die Länder hinter sich verblühn,
Schon Sterne durch die Wipfel glühn.

Der Führer jetzt die Fackel sacht
Erhebt und schweigend schreitet,
Bei ihrem Schein die stille Nacht
Gleichwie ein Dom sich weitet,
Wo unsichtbare Hände baun –
Den Wandrer faßt ein heimlich Graun.

Er sprach: Was bringt der Wind herauf
So fremden Laut getragen,
Als hört ich ferner Ströme Lauf,
Dazwischen Glocken schlagen?
»Das ist des Nachtgesanges Wehn,
Sie loben Gott in stillen Höhn.«

Der Wandrer drauf: Ich kann nicht mehr –
Ists Morgen, der so blendet?
Was leuchten dort für Länder her? –
Sein Freund die Fackel wendet:
»Nun ruh zum letzten Male aus,
Wenn du erwachst, sind wir zu Haus.«

DAS WALDESRAUSCHEN, DIE SEHNSUCHT, DIE LEBENSWANDERUNG JOSEPH VON EICHENDORFF

Wem Gott will rechte Gunst erweisen, den schickt er in die weite Welt, wo die Brunnen verschlafen rauschen in der prächtigen Sommernacht, Rehe grasen und Nachtigallen schlagen, hochgeborene Herren und arme Burschen umherziehn und holde Mägdlein winken...

Dergestalt als eine Art Alte (Wander)-Burschenherrlichkeit und treuherzige Schwärmerei gründlich mißverstanden, zumindest bloß vordergründig gesehen, haben viele von Eichendorffs Gedichten Popularität erlangt und auch weitgehend behalten – Popularität auf Kosten der so wesentlichen, besonderen und unaustauschbaren Zwischentöne des Waldesrauschens.

In der vorliegenden Auswahl seiner Lyrik wird zu zeigen versucht, daß Eichendorff selbst keineswegs in fröhlicher Taugenichts-Manier in den Tag hinein gelebt hat, daß er nicht einfach als Sänger heiterer, zuweilen auch wehmütiger Herzenseinfalt abzustempeln ist und daß er als einer der bedeutendsten Vertreter der Romantik auch deren dunkle Züge in sein Werk eingebracht hat.

Joseph von Eichendorff wurde am 10. März 1788 auf Schloß Lubowitz bei Ratibor in Schlesien geboren. Er gehörte einem alten Adelsgeschlecht an, das aus dem Herzogtum Magdeburg und dem Kurfürstentum Brandenburg stammte und im 17. Jh. in Schlesien ansässig geworden war. Der Vater, Adolf Theodor Rudolf Freiherr von Eichendorff war ein frommer, gütiger, ökonomisch höchst untüchtiger Mann; die Mutter, Karoline, eine schöne, zu großer Repräsentation neigende Dame. Joseph hatte einen um zwei Jahre älteren Bruder, Wilhelm und eine um sechs Jahre jüngere Schwester, Luise.

Eichendorff hat eine glückliche Kindheit verlebt. Festlichkeiten und Besuche, Jagdveranstaltungen und Reisen gehörten zum Lebenszuschnitt des Landadels, freilich im Wechsel mit einem eher bescheidenen Alltag. Schloß Lubowitz mit seinem weitläufigen Garten, die Oder im Tal, Schlesiens Wälder und Berge sind dem Dichter in einem edleren und umfassenderen Sinn als dem des Blut- und Boden-Klischees Heimat gewesen; er hat später das Heimat-Bild zu einem – zu seinem – Welt-Bild ausgeweitet.

Naturverbundenheit und Leseeifer schlossen einander nicht aus. Der Knabe hatte für trocken-lehrhafte Kinderbücher nicht viel übrig, er las Sagen und Märchen und Reisebeschreibungen, verehrte früh Matthias Claudius und wurde von der Leidensgeschichte Christi tief bewegt.

Gemeinsam mit seinem Bruder, dem engsten Gefährten seiner Kinder- und Jugendjahre, kam Eichendorff an das Breslauer Gymnasium; anschließend besuchte er zuerst in Halle, dann in Heidelberg die Universität, hörte geisteswissenschaftliche und vor allem juristische Vorlesungen. In den Fragment gebliebenen autobiographischen Schriften (sie wurden rückblickend im Alter verfaßt) schilderte er in dem Kapitel über Halle und Heidelberg weniger sein eigenes Leben als die Äußerungen des in einer Universitätsstadt besonders ausgeprägten Zeitgeistes und beschrieb die in Heidelberg wirkenden Persönlichkeiten der Romantik, vor allem das »Triumvirat« Joseph Görres, Brentano und Achim von Arnim.

Nach dem 1808 beendeten Studium führte die übliche Bildungsreise, die wegen finanzieller Schwierigkeiten der Familie sehr kurz bemessen war, die Brüder nach Paris und Wien. Von 1809 bis 1811 lebten sie auf Lubowitz, um das indessen völlig abgewirtschaftete Gut nach Möglichkeit wieder hochzubringen. Es war ein aussichtsloses Unterfangen. Damit war ein Brotberuf unumgänglich geworden, am ehesten kam der Staatsdienst in Frage. Da sie, wie es damals in Adelskreisen oft der Fall war, nach dem Studium kein Examen abgelegt hatten, mußten sie es nachholen. In Wien war dies ohne neuerlichen Besuch von Vorlesungen möglich. Joseph und Wilhelm logierten bei dem mit ihren Eltern befreundeten Grafen Wilczek. Bald waren gesellschaftliche und schöngeistige Beziehungen angeknüpft, Joseph wurde ständiger Gast im Hause von Friedrich und Dorothea Schlegel. In Wien hatte er auch schönste Gelegenheit, seiner Neigung für Theater und Oper (besonders hat er Mozart geschätzt) nachzugehen. Die finanzielle Lage war freilich so knapp, daß es an Wochentagen keine warmen Mahlzeiten gab. Unbeeinträchtigt von den – erfolgreich abgelegten – Prüfungen, dem Gesellschaftsleben, den Theaterbesuchen und den Hungerrationen entstand Eichendorffs erster Roman *»Ahnung und Gegenwart«* – Gedichte hatte er schon als Halbwüchsiger verfaßt, einige waren auch in einer Zeitschrift veröffentlicht worden. Der Roman spielt in der Zeit unmittelbar vor den Befreiungskriegen, die der Verfasser in einem Brief als »gewitterschwüle Zeit der Erwartung, Sehnsucht und Schmerzen« bezeichnete. Dieses Erstlingswerk in Prosa zeigt, wie alle seine erzählenden Schriften, wie auch die Bühnenstücke, lyrischen Charakter – nicht nur infolge der zahlreich eingestreuten Gedichte und Lieder, sondern in der Eigenart des fließenden, gleichsam musizierenden Stils, in der Konturlosigkeit der Handlung, die eine knappgefaßte Inhaltsangabe fast unmöglich macht.

1813 brach der erhoffte und befürchtete Krieg aus. Er beendete Eichendorffs Suche nach einer passenden Anstellung und nach finanzieller Sicherheit, die er dringend brauchte, da er sich indessen verlobt hatte; mit Luise von Larisch, der Tochter eines Gutsnachbarn. Der Krieg beendete auch die familiäre

Auseinandersetzung, denn die Mutter hatte eine reichere, glanzvollere Partie für ihn vorgesehen gehabt. Während Wilhelm von Eichendorff im Staatsdienst unterkam, der ihn nach Trient führte, meldete sich Joseph zu den Lützowschen Jägern, die in der Folge mehr patriotische Begeisterung als militärische Durchschlagskraft bewiesen; Eichendorff hat es bedauert, nie eine große Bataille erlebt zu haben.

Nach dem Abschluß des ersten Pariser Friedens heimgekehrt, heiratete er seine Luise und zog mit ihr nach Berlin, wo er als Expedient beim Oberkriegskommissariat aufgenommen wurde. Napoleons Flucht von Elba führte Eichendorff nochmals zur Armee, 1816 kehrte er endgültig zu seiner Gattin und dem indessen geborenen Sohn zurück. Er nahm eine Referendarstelle in Breslau an, nach damaligem Brauch zuerst gar nicht, dann schlecht bezahlt. Als zwei Jahre später der alte Freiherr Eichendorff starb, waren die Verhältnisse auf Lubowitz desolat, mit dem Tod der Mutter (1822) ging es ganz verloren. Seit damals hat es sich Eichendorff versagt, Lubowitz wiederzusehen.

Gewissenhaft und fleißig, mit Anstand und innerem Abstand trug er sein Beamtendasein, dessen nächste Stationen Königsberg und Danzig waren. Die Einkünfte blieben äußerst bescheiden, so daß er mit den Seinen (der Ehe entstammten zwei Söhne und zwei Töchter) zeitweilig ein rechtes Hungerdasein führte. Doch die Verbindung mit Luise, die er zärtlich in schlesischer Mundart »Loiska« nannte, war im Gegensatz zu den krausen Liebschaften und unglücklichen Ehen anderer romantischer Dichter die erfüllte und treue Beziehung zu einer Gefährtin, die seine Last nicht mehrte, sondern minderte.

Eichendorffs Produktion wurde, zum Teil in Zeitschriften und Almanachen, laufend veröffentlicht. *»Ahnung und Gegenwart«* war bereits 1815 erschienen, gelobt von Kennern, in der Öffentlichkeit wenig beachtet. Erfolg auch bei einem breiteren

Publikum fand neben vielen Gedichten, wozu freilich auch die Vertonung beigetragen hat, vor allem die Novelle *»Aus dem Leben eines Taugenichts«*, die Geschichte eines Müllerburschen, den es in der Enge des väterlichen Hauses nicht hält und der in die weite Welt zieht, um sein Glück zu suchen und es nach vielerlei bunten Verwicklungen auch findet. Der Inhalt an sich sagt wenig über den Liebreiz dieser Erzählung aus; nur wer sie liest, wird des Zaubers innewerden, doch ging gerade vom *»Taugenichts«*, wenn er stellvertretend für das Gesamtwerk genommen wurde, die Eichendorff-Verharmlosung aus.

Von Königsberg wurde Eichendorff, obgleich er München vorgezogen hätte, ans Berliner Kultusministerium versetzt, wo er als Geheimer Regierungsrat in der Abteilung für katholische Belange arbeitete. In dem wenig bekannten Gedicht *»Der Isegrimm«* mit dem Anfang »Aktenstöße nachts verschlingen« sind Abstand, Widerstand und Resignation ausgedrückt, wobei sich eine erstaunliche Verwandtschaft mit Grillparzers »Hier sitz ich unter Faszikeln dicht« ergibt. Eichendorff führte mit seiner Familie, aus der 1832 der Tod die Tochter Anna Hedwig hinwegnahm, ein recht zurückgezogenes Leben, doch schrieb er eifrig, begann aus dem Spanischen zu übersetzen und gab 1837 die erste Gesamtausgabe seiner Gedichte heraus. Zu dieser Zeit wurde er mit Felix Mendelssohn-Bartholdy, von dem die populärsten Eichendorff-Vertonungen (»Wem Gott will rechte Gunst erweisen«, »Wer hat dich, du schöner Wald« usw.) stammen.

Bereits mit 56 Jahren schied der immer kränkliche Dichter auf eigenes Ersuchen aus dem Staatsdienst. Die Pension sicherte ihm ein auskömmliches, von Brotarbeit unbelastetes Leben nach persönlichem Zuschnitt. Als Dichter fast verstummt, arbeitete er an der Übersetzung von Calderons religiösen Dramen und schrieb zahlreiche literaturkritische Aufsätze.

Auch in den Altersjahren wechselte er wiederholt den Aufenthalt; längere Zeit blieb er in Wien, wo dem bisher mit Beifall nicht gerade Verwöhnten reiche Ehrungen zuteil wurden. Hier lernte er Grillparzer, Stifter und das Ehepaar Robert und Klara Schumann kennen. Schumann, selbst überschattet, hat sich auf die Zwischentöne des Waldesrauschens zutiefst verstanden, auf den Sehnsuchtston der Lebenswanderung.

Vor und nach der Revolution von 1848 wohnte Eichendorff in Berlin. Dort traf er zuweilen mit den Vertretern einer neuen Dichtergeneration zusammen, mit Storm, Fontane, Heyse. Er selbst schrieb im Alter nur noch drei kurze Verserzählungen.

1855 brachte er seine schwerkranke Gattin, die ihre Tochter Therese noch einmal wiedersehen wollte, ins Haus des Schwiegersohns nach Neiße. Wenige Wochen nach der Ankunft verschied sie. In einem Brief hat er den konventionellen Trost »Die Zeit wird lindern« als wahrer Liebe unwürdig zurückgewiesen.

Die beiden letzten Lebensjahre verbrachte er weiterhin in Neiße. Dort starb er am 26. November 1857. Seine Lebenswanderung ist in Fassung und Frieden zu Ende gegangen.

Die übliche Anordnung der Eichendorff-Gedichte, von der nicht ganz sicher ist, wie weit sie auf den Dichter selbst, wie weit sie auf seinen Freund Adolph Schöll zurückgeht, teilt sie ein in die Gruppen »Wanderlieder«, »Sängerleben«, »Zeitlieder«, »Frühling und Liebe«, »Totenopfer«, »Geistliche Gedichte« und »Romanzen«.

Die vorliegende Auswahl, in die auch Gedichte aus dem Nachlaß aufgenommen sind, folgt nicht immer der genannten Gruppierung, was im Hinblick auf die sehr häufigen thematischen Parallelen und Überschneidungen gestattet sein mag. Als übergeordnetes Motiv ist hier die *Wanderung* gesehen, die Wanderung im weitesten Sinn.

Unter Eichendorffs Gedichten zeigt eines besonders klar die beiden Pole seines Schaffens. »*Der Kranke*« fürchtet, die schöne, geliebte Erde bald verlassen zu müssen und denkt daran, wie oft er sich Flügel gewünscht hatte, über sie hinwegzufliegen, ihr zu entfliegen, zu entfliehen. Die Schlußstrophe lautet: »Da sich jetzt die Flügel dehnen/ Schaur' ich in mich selbst zurück,/ Und ein unbeschreiblich Sehnen/ Zieht mich zu der Welt zurück.« Es ist – in Widerspruch und Einheit – beides gegeben: innigste Bindung an die Erdenheimat, innigste Sehnsucht nach der anderen, jenseitigen. Die Wanderung zwischen diesem Hier und Dort – im zitierten Gedicht wie in vielen anderen als Flug, Raumdurchmessung, Raumüberwindung auf Flügeln – ist als des Dichters Zentralthema anzusprechen.

Auch in den Romanen und Novellen herrscht ein ständiges Kommen und Gehen, zu Fuß, zu Pferde, zu Schiff, in der Kutsche. Seßhaftigkeit ist all diesen Menschen nicht gemäß, war es auch Eichendorff selbst nicht, unerachtet aller Heimatliebe.

In der Spannweite des Wander-Motivs hat die konkrete Fußreise Platz (Eichendorff hat in seiner Studentenzeit eine durch den Harz unternommen, ist bis ans Meer gewandert und ein anderes Mal bis nach Leipzig; später war's dann mit größeren Wanderungen vorbei – in vorgerückten Jahren hat er auch die Eisenbahnfahrt kennengelernt), die Rastlosigkeit der Musikanten und Komödianten, die nur in der Imagination erlebten Reisen nach Italien, der erahnte Heimflug der Seele, wie er in dem Gedicht »*Mondnacht*« zwingendsten Ausdruck gefunden hat.

Und nicht übersehen darf werden, daß hinter gar nicht wenigen dieser Gesänge vom Wandern die große, wilde romantische Sehnsucht, Sehn-*Sucht* steht, die Wanderung mit unbekanntem Ziel oder ohne Ziel, Fahrt um der Fahrt willen, Sirenenstimmen folgend.

Die deutsche Romantik war vielschichtig und vielgesichtig; sie kannte nicht nur die Hinwendung zu Volkslied und Märchen und Mythe, zu einem idealisierten Bild vom christlichen Mittelalter, von Deutschtum und Kaiser und Reich, andererseits auch die Aufbruchstimmung und Ahnung neuer Horizonte; kannte nicht nur die Ironie in milder und scharfer Form. Nicht minder war ihr ein starker Hang und Drang zu Selbstbespiegelung und Selbstaufgabe, zu Wahn, Nacht und Chaos zu eigen, zu dunkler Magie. Man würde Eichendorff verkennen oder verfälschen, wollte man diesen Zug bei ihm ableugnen oder zu Spiel, Pose, Mode verharmlosen.

Der tiefgläubige Katholik, der standesbewußte Aristokrat, der Soldat der Befreiungskriege, der loyale Staatsdiener lebte in der Jugend sehr nahe einer versunkenen, gleichwohl nicht vergangenen »heidnischen« Welt. Seine Landschaftsschilderungen haben ihren Ort nicht nur in seiner schlesischen Heimat, die freilich mit ihren Wäldern und Flüssen unüberhörbar in seine Verse hineinrauscht, in ihnen aufrauscht, sondern ebenso sehr in seiner Phantasie. Es sind Landschaften, in denen das Geheimnis, und keineswegs immer ein freundliches, webt und lockt. Man beachte doch die häufige Wiederkehr von Worten wie schaudern, schaurig, rauschend, buhlend, schwindlig, irr, Abgrund, Netz! In dem Gedicht *»Die zwei Gesellen«* weiß sich der eine zu bewahren, doch »dem zweiten sangen und logen/ Die tausend Stimmen im Grund/ Verlockend Sirenen und zogen/ Ihn in der buhlenden Wogen/ farbig klingenden Schlund.« Einer, der Formulierungen, wie die vom »farbig klingenden Schlund« findet, muß fasziniert in seine Wirbel gestarrt haben. Hinunterziehen ließ sich Eichendorff nicht.

Das Thema der Versuchung hat Eichendorff in der Novelle *»Das Marmorbild«* gestaltet – aussagend, aussingend, verschweigend. Eine antike Venus-Statue erwacht zum Leben und lockt einen unerfahrenen Jüngling an sich, der aber in unklarer Ahnung der Gefahr den Bann durchbricht. Doch bleibt er verstört und verwirrt, bis ihn ein Lied, das von der Überwindung des Zaubers der heidnischen Götterwelt durch die Madonna mit dem Kinde singt, den Zusammenhang ahnen läßt.

Für Eichendorff hat sich die Liebe, die große Erfahrung auf der Lebenswanderung, in der Ehe mit seiner von ihm als »schön, geistreich, lebhaft und frohgelaunt« charakterisierten Loiska erfüllt. Vorangegangen sind jugendliche Schwärmereien für junge Mädchen aus der Nachbarschaft, für gefeierte Schauspielerinnen, und dann eine stürmische Beziehung mit tragischem Ausgang, die in seinem Tagebuch (es wurde nur im ersten Lebensdrittel geführt und ist mit den rückblickend entstandenen »autobiographischen Schriften« nicht identisch) angedeutet wird.

Es gibt sehr frühe Liebesgedichte aus seiner Feder, darin sich Erlebtes, Erträumtes, Anempfundenes unentwirrbar mischen. Es gibt aufjubelnde und tief-schwermütige, einmal läßt er *»Frau Venus«* selbst mit schmerzlicher Inbrunst ihre Klage singen »Versinkend zwischen Duft und Klang vor Sehnen«; eine Venus, die weniger sexuelle Lockung als ein Stück unerlöster Natur ist. Die Gedichte *»An Luise«* und *»Der junge Ehemann«* sind Zeugnisse einer ehelichen Liebe, die bei aller Innigkeit nicht Pantoffeln schlurft...

Die Begleitmusik zu des Dichters Lebenswanderung bildeten nicht nur Sirenenklänge, Waldes- und Wellenrauschen, Stimmen der Liebe. Auch Waffengeklirr, Angst- und Wutschrei einer wirren Zeit klangen hinein: Französische Revolution, Napoleon, Befreiungskriege, Vormärz, 1848...

Eichendorff, mit vollem Namen und Titel Joseph Karl Benedikt Freiherr von Eichendorff, gehörte dem Adel an. Er selbst hat (abgesehen von dem letzten Glanz, den er in der Jugend auf Lubowitz erlebte) kein Leben feudaler Herrlichkeit geführt, hat bis in vorgerückte Jahre öfter den Mangel als den Überfluß gekannt. Dünkelhaft oder gar despotisch zu sein, lag seinem Wesen fern, er war im Gegenteil für freundliche und bescheidene Haltung, für tatkräftige Hilfsbereitschaft berühmt. Auch war er zu klarblickend, um die soziale und moralische Schuld seiner Kreise nicht zu erkennen, zu aufrichtig, um sie nicht einzugestehen. In den autobiographischen Schriften hat er ein im wesentlichen durchaus nicht schmeichelhaftes Gemälde aristokratischen Lebens in den Jahren unmittelbar vor und nach der Französischen Revolution entworfen. Das hinderte ihn nicht, im Adel (besser gesagt, in einem Idealbild desselben) die gegebene Führungsschicht zu sehen, deren seiner Auffassung nach die Gesellschaft nicht entraten konnte.

Wir Heutigen, durchaus nicht auf Feudalismus eingeschworen, müssen uns von Eichendorffs (wenn auch nur anklingender) Auffassung des Volks zum einen Teil als »Völkchen«, zum andern als Pöbel, befremdet fühlen und ermangeln vollends der Neigung zu martialisch-patriotischer Begeisterung. So sagen uns die vaterländischen und politisch-polemischen Gedichte weit weniger als die anderen. Es sei hier anstelle waffenklirrender Gedichte das vom *»Waffenstillstand«* gebracht und, als kennzeichnend für Eichendorffs Traditionsver- und gebundenheit die balladesk-visionäre *»Heimkehr«*. Nicht alle, die »Wer hat dich, du schöner Wald« singen oder hören, wissen, daß dieses Lied *»Der Jäger Abschied«* heißt und daß damit die Lützowschen Jäger gemeint sind... *»Hermanns Enkel«* richtet sich gegen eine kleinliche Deutschtümelei (hier in der Mode), für die Eichendorff zu souverän war.

Eichendorff gehörte nicht zu den romantischen Dichtern ursprünglich evangelischen Bekenntnisses, die sich dem Katholizismus zugewandt haben. Sowenig wie er zu den Konvertiten gehörte, war er Katholik nur aus Tradition und Konvention. Seine »Geistlichen Gedichte« sind mit wenigen Ausnahmen weder Kirchenlieder noch poetische Darstellungen biblischer Geschehnisse; geistlich bedeutet hier gläubig – es sind Zeugnisse des Gottvertrauens. Sinngemäß wäre auch der Zyklus *»Auf den Tod meines Kindes«* zu den Geistlichen Gedichten zu rechnen, da alle darin enthaltene Klage und Trauer in ein »Du fandst dich längst nach Haus« einmünden.

Unter den »Romanzen«, welche Bezeichnung nicht immer treffend ist, gehören einige der schönsten und kostbarsten Stücke Eichendorffs. *»Der alte Garten«* ist ein wahrhaft magisches Gedicht, eines, das, wie etwa Mörikes »Orplid«, schon mit den Eingangsworten gefangen nimmt. »Kaiserkron' und Päonien rot,/ Die müssen verzaubert sein.« Gewiß kann man auf den Widerhall hinweisen, den das Wort »verzaubert« weckt, auf das Reizwort »rot«, auf die dreimalige Verwendung des Vokals »o« – aber damit ist der Reiz noch nicht erklärt. *»Das Waldgespräch«* ist eine Version des Motivs von der Lorelei in Dialog-Form (nach Brentano, vor Heine), Geheimnis der Nacht und erotisches Geheimnis fangen den verführten Verführer tödlich ein. *»Das zerbrochene Ringlein«* gehört zu Eichendorffs bekanntesten Gedichten, doch weniger bekannt ist seine Autorschaft, der Dichter ist hinter seinem Text anonym geworden.

Das Thema der mehr der Ballade angenäherten Romanzen ist fast immer die Liebe und fast immer eine spukhafte, schuldhafte, leidvolle. Auch das Motiv der Wanderung, der Lebenswanderung taucht nochmals auf (in der ursprünglichen Gedicht-Anordnung direkt den »Wanderliedern« zugehörig, doch mit der nämlichen Berechtigung den Romanzen anzuschließen): Es heißt *»Letzte Heimkehr«* und schließt mit den Worten »Wenn du erwachst, bist du zu Haus«.

Unseres Dichters Lyrik lebt weniger von Bildern (so reizvolle und einprägsame er wiederholt geboten hat) als vom Klang. Lerche, Nachtigall, Jagdhorn, Posthorn, rauschen, lauschen, hallen, schallen, singen, klingen – diese Worte, diese

Reime, die wegen ihrer Sangbarkeit nicht banal wirken, kehren immer wieder. Eichendorffs Gedichte rufen nach der Vertonung, ohne ihrer zu bedürfen.

Schubert etwa hat mit der Vertonung der *»Winterreise«* des Romantik-Epigonen Wilhelm Müller dem Gedicht-Zyklus eine Tiefendimension verliehen, die er vom Text her nicht oder höchstens stellen- und andeutungsweise hat. Er hat die literarische Vorlage sozusagen verbessert. Als Robert Schumann, um nur ein einziges Beispiel zu nennen, die *»Mondnacht«* vertonte, war da nichts zu vertiefen, erhöhen, verbessern. Er hat die Worte in Musik übersetzt – das freilich kongenial!

Über dem Liederdichter sollte der Sonettendichter nicht vergessen werden. Eichendorffs Sonette gehören zu den besten deutschsprachigen. Die schwierige Architektonik, die nicht so sehr in Vers und Reim als im streng vorgeschriebenen inhaltlichen Aufbau liegt, konnte ihn nicht hindern, auch in dieser Form den ziehenden, schwingenden Sehnsuchtston anzuschlagen (*»Frau Venus«*) oder, darüber hinaus, eine im Sonett eher seltene Schlichtheit und Innerlichkeit an die Stelle der großen Geste, der kostbaren Attitüde zu setzen, wie in dem wunderbaren Gedicht *»Das Alter«*.

Seit Eichendorffs Geburt sind zwei Jahrhunderte vergangen, sein Tod liegt 120 Jahre zurück. Eine kurze, eine lange Zeit – es kommt auf den Blickwinkel an. Seine Vorstellungen vom Aufbau der Gesellschaft sind überholt, seine politischen Ideale und Ziele liegen uns fern. Doch obgleich die Wälder dezimiert, die Nachtigallen selten geworden sind und der Mond, auf dem die Astronauten Fuß gefaßt haben, eine sehr veränderte Welt beglänzt – das Waldesrauschen von Eichendorffs Gedichten und ihr sinnberückender, herzbewegender Sehnsuchtslaut tönen für jeden, der zu hören willig ist, in unveränderter Schönheit fort.

Traude Dienel

VERZEICHNIS DER GEDICHTE NACH ÜBERSCHRIFTEN

ALPHABETISCHES VERZEICHNIS DER GEDICHTANFÄNGE